D1383252

Déjà parus
dans la collection « Turquoise »

1. LA NUIT EST A NOUS. Nelly
2. JUSQU'AU BOUT DE L'AMOUR. C. Pasquier
3. LA FIANCÉE DU DÉSERT. E. Saint-Benoît
4. COUP DE FOUDRE AUX CARAÏBES. B. Watson
5. TEMPÊTE SUR LES CŒURS. I. Wolf
6. MIRAGE À SAN FRANCISCO. A. Latour
7. ET L'AMOUR, BÉATRICE ? A. Christian
8. ORAGES EN SICILE. K. Neyrac
9. RÊVE D'AMOUR A VENISE. H. Evrard
10. L'INCONNU AU CŒUR FIER. R. Olivier
11. AU-DELA DE LA TOURMENTE. Y. Wanders
12. L'HÉRITIER DE GUÉRINVILLE. C. Pasquier
13. UN VOLCAN POUR ÉLISE. E. Saint-Benoît
14. LE REGARD DE L'AMOUR. F. Harmel
15. LE CŒUR ÉCARTELÉ. B. Watson
16. SOUVENIR D'UNE NUIT INDIENNE. J. Fontange
17. LES PIÈGES DE L'AMOUR. I. Wolf
18. LES LUMIÈRES DE BEVERLY HILLS. J. Nivelles
19. COMME UN ROSEAU. C. Beauregard
20. UN AMOUR SAUVAGE. R. Olivier
21. TU ES MON SEUL AMOUR. Nelly
22. LE RENDEZ-VOUS DU BONHEUR. B. Watson
24. LE TOURBILLON DES PASSIONS. C. Pasquier
25. CYCLONE A TAHITI. C. Valérie
26. LA COURSE ÉPERDUE. J. Fontange
28. UNE VALSE DANS LA NUIT. C. Beauregard
29. PASSION MAYA. A. Pergame
30. LE SERMENT DE MINUIT. K. Neyrac
32. LE CŒUR VAGABOND. B. Watson
36. L'INACCESSIBLE AMOUR. C. Beauregard
37. SECRETS RAVAGES. R. Olivier
40. BATTEMENTS DE CŒUR A BEATTONSFIELD. N. Saint-Leu
41. LES SORTILÈGES DE L'AMOUR. O. Granville
44. LE SCEAU DE LA PASSION. Nelly
45. A L'OMBRE D'ESTHER. C. Valérie
50. L'AUBE ENSANGLANTÉE. O. Deschamps
56. LE SAFARI DE L'AMOUR. H. Mesurat
62. EN DANGER DE CŒUR. N. Saint-Leu
68. L'ÉTENDARD DE FLAMMES. A. Liversac
74. LA VIOLENCE DU DESTIN. J. Fontange
75. LA CHEVAUCHÉE DES CŒURS. G. Hardy
80. MELISSA AU PAYS DU DRAGON. E. Saint-Benoît
81. ÉNIGME EN AMAZONIE. E. Deher
86. LA SIRÈNE DE L'ORFEO. S. Lambert
87. LE BAISER DE L'EVEREST. G. Hardy
92. LA FÉE DU LAC. L. Thibault
93. POUR TOUT L'OR DE BAGDAD. C. Pasquier
98. LA PERFIDE ACCUSATION. J. Fontange
99. LA VILLE INTERDITE. E. Geoffroy

Turquoise Médaillon

48. L'INCROYABLE VÉRITÉ. C. Pasquier
49. MARIAGE BLANC. C. Beauregard
52. LA PRIÈRE D'UN CORPS. B. Watson
53. LE CARNAVAL DU MYSTÈRE. C. Valérie
54. AU BORD DU SACRIFICE. C. Beauregard
55. LES FANTÔMES DU PASSÉ. N. Daniels
58. LE SECRET DE STRINBERG. Nelly
59. ARDEURS SECRÈTES. B. Watson
60. LE MESSAGER DU DÉSERT. A. Pergame
61. A CŒUR PERDU. S. Ardant
64. LE DERNIER CONCERTO. E. Geoffroy
65. LES ORAGES DU DÉSIR. O. Granville
66. AMES BRISÉES. C. Beauregard
67. UNE AFFAIRE DE CŒUR. C. Valérie
70. UNE SI LONGUE ATTENTE. R. Olivier
71. L'AMOUR EN SURSIS. A. Lange
72. DANS UN MIROIR... C. Beauregard
73. LE MAÎTRE DE BROCÉLIANDE. A. Tual
76. LES SAPHIRS DE THAÏLANDE. C. Montlaur
77. CRUELLE MÉPRISE. B. Watson
78. LA DÉESSE BLEUE. O. Deschamps
79. A L'AUTRE BOUT DU MONDE. S. Ardant
82. ANGE OU DÉMON ? G. Hardy
83. AMOUR DANS LA BROUSSE. C. Valérie
84. PRISONNIÈRE DU PASSÉ. L. Thibault
85. UN AMOUR SANS OBSTACLE. H. Mesurat
88. DÈS L'AUBE. P. Vincent
89. LA VALLÉE DU SEÑOR RUIZ. L. Thibault
90. LA NUIT DU VAUDOU. O. Granville
91. RENCONTRE A MEXICO. S. Ardant
94. LE TEMPS DU RETOUR. O. Deschamps
95. L'ORCHIDÉE DE SINGAPOUR. S. Ardant
100. SOLEIL DE MINUIT. P. Vincent
101. QUAND L'AMOUR TREMBLE. E. Deher

Turquoise Sortilèges

96. SOUS LE REGARD DE KALI. E. Deher
97. NEFERTA, PRINCESSE DU NIL. Y. Rampling
102. LE MASQUE DU SORCIER. E. Saint-Benoît

GABRIELLE CLÉMENCE

L'ÉTRANGE
PRÉDICTION

Turquoise Médaillon

PRESSES DE LA CITÉ

9797 rue Tolhurst, Montréal H3L 2Z7 - Tél.: 387-7316

A Jean-Louis Valero,
mon musicien lumineux.

PREMIÈRE PARTIE

1

— Méfiez-vous, mademoiselle, méfiez-vous. Des forces obscures vous entourent... Je vois un danger, un grand danger, un danger qui descendra de la montagne... Je vois d'insurmontables obstacles à votre bonheur...

La vieille cartomancienne parlait d'une voix d'automate, lentement, comme si quelqu'un lui dictait les paroles qui montaient à ses lèvres :

— Je vois une montagne, et des oiseaux noirs qui volent très bas, en coassant... Mauvais, tout cela, mauvais. Couvrez-moi cette carte, je vous prie.

Les yeux de saurien de la vieille se posèrent sur la jeune fille assise de l'autre côté de la table.

« Des yeux de mystificatrice », pensa celle-ci, et de la main gauche, elle coupa le jeu qui se trouvait devant elle, choisit une carte et la plaça sur celle que la vieille lui indiquait :

— Serpent proche ou lointain... Tu verras apparaître hypocrites et traîtres...

La cartomancienne parlait par symboles, et le ton de sa voix vibrait, se chargeait de menaces, cherchait l'effet :

— Couvrez-moi encore cette carte-ci.

La jeune fille prit une autre carte, au hasard.

— La faux, outil tranchant, est vilain instrument... Que par d'heureuses cartes, le noir péril s'écarte... Nuage : éloignement, trahison sûrement...

On eût dit que la vieille ne se souciait même plus de se faire comprendre... Elle semblait divaguer et secouait la tête comme sous l'effet d'une inspiration mystérieuse.

— Si tu veux être sage, regagne ton pays... La lune est éloignée, c'est triste destinée. Et cet homme blond... Ah! cet homme blond... Méfiez-vous, méfiez-vous... Triste destinée...

Elle soupira profondément et leva un lent regard vers sa cliente. Ses yeux bordés de khôl, ses prunelles hallucinées, ses lèvres violemment peintes, ses longues mains ridées et exsangues posées sur le velours rouge du tapis de table lui donnaient un air satanique.

La jeune fille sourit. Elle était beaucoup plus amusée par le personnage assis en face d'elle et le décor qui l'entourait que terrifiée par ce qu'elle entendait. Qui d'autre que les diseuses de bonne aventure, en ces temps trop peu romantiques, vous recevait encore dans de tels décors, sous le regard fixe d'une chouette empaillée? Qui d'autre prononçait des paroles qui paraissaient sorties de livres magiques et multipliait les rites et les gestes incompréhensibles?

Elle n'aurait su dire ce qui l'avait décidée à pousser la porte de cette cartomancienne. L'écriteau sur la porte : Voyante extra-lucide? Un coup de tête? S'attendait-elle à des révélations étonnantes sur son avenir? Voulait-elle qu'on lui dise que quelque chose allait changer dans sa vie?

Elle n'y aurait pas cru, de toute façon, car elle n'avait jamais accordé aucun crédit aux bavardages des sibylles.

Se méfier des blonds dans un pays où les trois quarts des habitants étaient blonds? Vraiment cette diseuse de bonne aventure ne prenait pas de risques!

Elle se retint de rire et tendit à la vieille une troisième carte. Celle-ci la retourna et, après quelques secondes de réflexion, lui demanda, en la regardant droit dans les yeux :

— Y a-t-il eu un grand malheur dans votre famille, il n'y a pas longtemps?

La jeune fille hocha la tête et répondit un oui bref,

sans autres explications, bien décidée à ne pas prononcer quoi que ce fût qui pût aider la voyante à « deviner » son passé. Comme ses consœurs, celle-ci devait avoir l'art de faire avouer à ses clients des détails de leur vie, pour les restituer, l'instant d'après, comme une information. Elle resta donc muette.

— Un grand malheur en vérité, et tout à fait inattendu. Ma pauvre petite, vous avez dû avoir bien du chagrin !

« Tiens, se dit la jeune fille, voilà qu'elle parle normalement à nouveau, et qu'elle commence à entrevoir quelque chose. »

Elle s'efforça de garder un visage impassible, mais il était vrai qu'un terrible malheur était survenu, cinq mois auparavant.

Sa vie entière, elle se souviendrait de ce matin de printemps, quand sa mère avait décroché le téléphone : le ravissant visage de Mme de Lignancourt s'était décomposé subitement et Clarisse avait entendu qu'elle balbutiait deux ou trois phrases, d'une voix brisée :

— Non, ce n'est pas possible... Ce n'est pas vrai... Comment est-ce arrivé ? Où est-il ? Est-ce grave ?

Puis elle avait raccroché et s'était effondrée sur une chaise.

— Qu'y a-t-il maman ? avait dit Clarisse en courant vers elle pour la prendre dans ses bras.

— Ton père vient d'avoir un accident, sur la nationale sept, à quarante kilomètres de Lyon. C'est grave. Il faut aller à l'hôpital, tout de suite...

Jamais Clarisse ne pourrait effacer de sa mémoire cette interminable attente dans les couloirs sales de l'hôpital, pendant que les chirurgiens tentaient le tout pour le tout, cette porte qui s'était ouverte enfin et l'homme en blanc qui était venu vers sa mère et elle, sans même avoir la force de sourire, pour les réconforter :

— Il faut être très courageuse, avait-il dit très bas à la marquise de Lignancourt... L'opération s'est passée le mieux possible, mais, hélas, il convient de se rendre compte que... pour être franc...

Il cherchait ses mots, ne voulant pas dévoiler avec brusquerie la vérité. Clarisse retenait ses larmes, il fallait qu'elle paraisse forte pour aider sa mère qui sanglotait :

— Est-il très mal ? N'y a-t-il plus d'espoir ?

— Je veux dire que son cœur est faible, très faible. Mais, madame, il n'y a rien d'impossible, pas même les miracles, cependant, pour ce que la science me permet de comprendre...

Un violent sursaut avait secoué la marquise qui semblait s'être recroquevillée sur elle-même. Elle avait caché son visage dans ses mains et répétait, d'une voix cassée :

— Mon Dieu, mon Dieu, mon pauvre Amédée...

Clarisse avait essayé de la réconforter, mais, elle aussi, était anéantie.

Le soir même, le marquis de Lignancourt rendait le dernier soupir, sans être sorti de son coma...

La vieille femme scrutait le visage de Clarisse qui souriait, pour donner le change.

— Et ce malheur, mademoiselle, a bouleversé votre destinée. Oserais-je dire qu'il y a même un certain rapport entre lui et votre présence dans cette ville ?

Clarisse dut alors reconnaître que c'était assez bien trouvé, et elle gratifia la cartomancienne d'un regard où se lisaient l'étonnement et une certaine admiration.

— Peut-être, répondit-elle.

Ce qui, évidemment, interprété par la rusée sibylle, signifiait « oui ». Elle n'avait plus qu'à broder là-dessus :

— Vous n'êtes pas ici depuis très longtemps, affirma-t-elle.

« Voilà une constatation facile, se dit Clarisse. Je suis encore toute bronzée et cela fait, paraît-il, trois semaines que le soleil ne s'est pas montré à Oxford. »

— Et vous êtes venue ici pour faire des études...

Décidément ! Elle ne prenait vraiment pas beaucoup de risques. Passée la première lueur, l'inspiration retombait. La plupart des jeunes hommes et des jeunes filles qu'on voyait à Oxford y étaient évidemment venus pour leurs études, la cité possédant une des plus grandes universités d'Europe. Mais, il est vrai, cependant, qu'il y avait un lien entre cette ville et la mort de son père.

— Ma petite Clarisse, je ne peux pas joindre les deux bouts, lui avait avoué la marquise de Lignancourt, deux mois après qu'on eût porté son mari dans le caveau familial. Ton père, à sa mort, a laissé des dettes. Les machines agricoles que nous avons achetées n'ont pas encore été payées ; elles valent des millions. Il y a les engrais que le métayer réclame, d'autres millions, donc. Cette année la moisson a été un désastre : un quintal à l'hectare... et je dois dire que j'ai peu l'habitude de la terre. Plus tard, ton frère Antoine reprendra l'exploitation, mais aujourd'hui la seule chose qui compte, c'est qu'il finisse son école d'agronomie. Quant à Charles-Henry, ton frère aîné, il serait criminel qu'il abandonne l'Ecole Centrale après avoir si brillamment réussi le concours.

Clarisse avait compris. Aucun sacrifice n'était assez grand pour les garçons. Elle était une fille, donc ses études ne pouvaient pas être prises au sérieux. Combien de fois avait-elle entendu cette phrase dans la bouche de son père ?

— Dans nos familles, les filles ne travaillent pas. A dix-huit ans, je ferai rentrer Clarisse dans les brancards de la vie conjugale...

A peine était-elle sortie du Sacré-Cœur, que ses parents avaient donné un bal pour elle, dans l'espoir qu'elle tomberait amoureuse d'un garçon bien né, nanti d'un château et d'une fortune. Pas une seconde son cœur n'avait battu, mais le jeune vicomte Bertrand de Villefosse, lui, avait remarqué cette ravissante jeune fille. Pendant trois mois, il était revenu faire sa cour, et à la fin des vacances il avait fait sa demande :

— Clarisse, avait-il dit, j'ai l'intention de vous faire demander en mariage, réfléchissez bien avant que mes parents n'aillent voir les vôtres.

Elle avait pouffé de rire et avait renvoyé ce désuet prétendant, jugeant que ses sentiments étaient nourris par l'intérêt plus que par la passion. C'était pour son nom uniquement qu'il voulait l'épouser.

— Il était pourtant bien élevé, avait dit Mme de Lignancourt.

— Et sa mère, ne l'oublions pas, était née Vaufre-lon-Vetancourt, ce qui n'est pas rien ! avait renchéri son père.

Après un sursaut de révolte, Clarisse s'était calmée, et avait annoncé à ses parents :

— J'épouserai qui bon me semblera, et, auparavant, j'apprendrai le chinois et l'anglais pour devenir interprète.

Les Lignancourt s'étaient inclinés, et elle était partie s'inscrire dans une école de langues, à Lyon. Mais voilà que maintenant, à la mort de son père, cela posait des problèmes. Les éternels problèmes d'argent. Elle aurait dû tout abandonner si elle n'était pas tombée, un jour, sur cette petite annonce parue dans le *New York Herald Tribune* :

« Dame handicapée cherche jeune fille pour s'occuper d'elle, moyennant chambre, nourriture et argent de poche. Prière écrire Lady Chalgrove, Belmount House, Bambury Road. Oxford. »

Elle avait écrit immédiatement, et huit jours après avoir reçu une réponse favorable, elle était partie de l'autre côté du Channel, ravie de ne plus être un fardeau pour sa mère et brûlante de curiosité à l'idée de connaître cette ville qui, d'après tout ce qu'elle avait lu, lui paraissait fascinante.

16

— Oxford est une ville étrange, pleine de charmes et de magie, disait maintenant la cartomancienne. Elle vous séduit, elle vous prend, on ne peut pas s'en détacher. On s'y sent protégé du reste du monde, protégé comme vous l'avez probablement été dans votre enfance, chez vous.

Il est vrai que Clarisse ne se sentait pas dépaysée entre les hauts murs de ces universités gothiques qui lançaient leurs flèches grises sur un ciel éternellement chargé de vapeurs blanches. Ils lui rappelaient le château familial, une folie mi-Renaissance, mi-moyen-âgeuse construite par un ancêtre romanesque, où les fenêtres à meneaux trouaient des donjons fantaisistes qui déchiquetaient le ciel du Dauphiné. On eût dit qu'il avait été bâti pour servir de décor à quelque film et qu'on l'avait oublié, ensuite, après le tournage, sur ce mamelon verdoyant : abandonné aux esprits et aux fées, comme Oxford semblait l'être.

— Ces oiseaux noirs... cette montagne... Méfiez-vous.

La cartomancienne recommençait à parler de sa voix d'automate, le regard perdu dans un rêve :

— Cet homme blond... grande souffrance... Je vois des larmes... beaucoup de larmes...

Comme c'était étrange, la vision de cette vieille affalée derrière sa table, dans le clair-obscur de ce rez-de-chaussée encombré de bibelots, de crucifix, d'éventails, de tapis, assourdi de tentures mitées, avec, dans un vieux miroir pendu à la muraille, les flammes vacillantes de trois longues bougies blanches qui semblaient veiller un mort. Un rire nerveux finit par saisir la jeune fille qui, soudain, se leva pour partir.

Trois quarts d'heure venaient de s'écouler dans cette pièce qui sentait trop fort l'encens et le patchouli, et Clarisse n'avait rien appris sur son avenir. Qu'est-ce qui était sorti de cette consultation sinon des propos baroques et de vagues mises en garde ? Cependant, il y avait ce malheur que la vieille avait deviné, et cela troublait vaguement Clarisse.

17

Elle se leva, chercha de l'argent dans son sac et tendit trois billets à la cartomancienne qui les enfouit prestement dans sa poche en grommelant un merci.

— Méfiez-vous, dit-elle une dernière fois en l'accompagnant à la porte.

Clarisse jeta un coup d'œil à sa montre. Il était l'heure de rentrer chez Lady Chalgrove.

Elle marcha lentement dans les rues, pensive, en regardant d'un œil émerveillé la tour de Magdalen College qui se reflétait dans la rivière Cherwell. « Une image magique », pensa-t-elle, un peu floue comme toutes les images d'Oxford, et qui avait fait rêver avant elle des générations d'étudiants.

Elle se pencha sur le pont : de longues barques passaient sous les saules pleureurs, au milieu du jardin botanique où de flamboyants dahlias continuaient à fleurir sous les feuilles qui tombaient du cloître voisin.

Dans quel cadre plus merveilleux Clarisse aurait-elle pu continuer ses études ? Etait-il possible qu'on fût malheureux dans cet endroit ?

Comme pour défier le sort, elle s'amusa à compter les blonds qu'elle croisait sur son chemin. En arrivant à la grille de la maison de Lady Chalgrove, elle en avait dénombré cinquante-trois.

« Quelle idiote, cette cartomancienne ! » se dit-elle.

Et, toute crainte envolée, elle franchit le jardin encore fleuri des dernières roses de l'automne, à cloche-pied, en sifflotant. Elle se sentait légère, heureuse de vivre. Le jardin embaumait, de cette odeur particulière à Oxford ; une odeur d'herbe et de fleurs mouillées que le soleil ne sèchera jamais. Cette odeur de brume qui panse les désespoirs et les transforme en mélancolie, et qu'on évoque toujours en pensant à cette ville.

« Jamais, se dit-elle, je ne pourrai oublier cette odeur. »

La première personne qu'elle vit en entrant dans la maison fut l'étudiant indien à qui Lady Chalgrove louait une chambre : Jaï Shankar.

Ce dernier habitait dans une aile de Belmount House, une petite chambre que Lady Chalgrove lui louait, non pas pour arrondir ses fins de mois, mais pour avoir une compagnie, car elle se sentait seule avant l'arrivée de la jeune fille.

Curieuse femme que cette Lady Chalgrove! Clouée sur un fauteuil roulant depuis six ans, elle vivait avec la seule compagnie des étudiants de passage et d'un valet de chambre, dans cette grande maison grise, flanquée de deux ailes réunies par une large grille qui encerclait la cour d'honneur. Derrière, le plus beau jardin du monde descendait en terrasse jusqu'au bord de la rivière Cherwell.

La vieille dame se tenait presque en permanence dans son salon, l'oreille tendue vers tous les bruits, curieuse de tout comme une concierge dans sa loge.

— Clarisse, est-ce vous?

La jeune fille entra en courant dans le grand salon, dont la porte était toujours ouverte :

— Oui, madame.

— Venez donc prendre une tasse de thé.

— Avec grand plaisir.

La jeune fille prit place sur un fauteuil à grosses fleurs roses et se servit une tasse de Ceylan fumé qui sentait la poussière. Tout dans cette pièce sentait la poussière. Lady Chalgrove vivait toutes fenêtres fermées et les plumeaux effleuraient rarement le trop-plein d'objets et de meubles qui encombraient cet endroit.

Cela faisait huit jours qu'elles vivaient ensemble et, déjà, la vieille dame et la jeune fille étaient devenues amies. Lady Chalgrove avait tant de souvenirs et d'histoires à raconter et, malgré son infirmité, elle était toujours d'humeur joyeuse.

Oxford est le royaume de ces vieilles dames, veuves pour la plupart d'un major ou d'un colonel dont la photo sépia trône sur la queue d'un piano. Les ont-elles tués, ou sont-ils morts au champ d'honneur? Le fait est qu'une fois seules et libres, elles retrouvent une nouvelle jeunesse, et s'en vont faire le tour du monde à dos de chameau, coiffées du petit chapeau fleuri couleur iris ou pommier du Japon qui est le label des dames britanniques et la garantie de leur respectabilité.

Lady Chalgrove était de cette race. Veuve à soixante ans, elle était partie à la découverte du monde, était tombée amoureuse d'un grand Lama de l'Himalaya, d'où sa prédilection pour les étudiants de cette région, qu'elle logeait, comme Jaï Shankar, pour une somme ridicule. Depuis sa maladie, elle écrivait des romans d'amour.

C'est là, étrangement, que Clarisse intervenait : tous les matins, à dix heures, la jeune fille conduisait Lady Chalgrove en voiture jusqu'à l'ancien monastère de Godstow où la vieille dame allait rechercher l'inspiration sur la tombe de Fair Lady Rosamund, la maîtresse d'Henry II. Elle restait une heure à méditer sur la stèle éternellement fleurie, et Clarisse la reconduisait à Belmount House, où elle l'installait, au salon, devant sa table de travail. Là, depuis des années, Lady Chalgrove inventait des histoires, plus folles les unes que les autres, et les envoyait à un éditeur de Londres.

— Qu'avez-vous à me raconter, aujourd'hui, ma belle enfant ? Vous êtes-vous promenée ? Avez-vous rencontré votre prince charmant au coin d'un réverbère ?

Clarisse éclata de rire.

— Je n'ai rencontré personne.

Allait-elle avouer qu'elle était allée chez une cartomancienne ? Elle hésita un moment mais n'osa pas. C'était trop bête. Cela ne faisait pas sérieux. A vingt ans, on n'interroge pas son destin dans les cartes ou le marc de café ; on le fabrique.

— Je suis allée m'inscrire à Saint Anthony's College, dit-elle, puis je suis rentrée en longeant la rivière. Il faisait si beau aujourd'hui.

— Cette promenade vous a fait le plus grand bien. Regardez-moi ces prunelles de cristal et ce teint lumineux de porcelaine, à peine teinté de vermillon. Vous êtes ravissante, Clarisse. Faite pour tous les bonheurs.

La jeune fille sourit et fit une pirouette qui l'amena jusqu'au grand miroir suspendu au-dessus de la cheminée.

— Une beauté négligée, madame. Je vais monter me donner un coup de peigne avant le dîner. J'ai l'air d'une souillon.

Elle fit une grimace au miroir, enleva les deux épingles qui tenaient son chignon, et sa lourde chevelure couleur feuille d'automne tomba en cascade sur ses reins. Le miroir renvoya l'image d'une beauté à l'ovale parfait qui semblait appartenir au rêve plus qu'à la réalité. Le nez était légèrement cambré, les narines mobiles, la bouche était grande et rouge, le menton pointu allongeait l'ovale qui s'élargissait aux pommettes. Une fossette trouait le menton. Mais ce qu'il y avait de plus beau dans ce visage, et surtout, de plus singulier, c'étaient ces yeux, un peu trop grands, des yeux de curieuse, dévorants et dévorés par une passion intérieure, une flamme sourde.

Belle pour qui ?

Pour les cent mille étudiants qui, demain, premier jour du trimestre, déferleraient sur la ville ?

Elle resta pensive un instant.

— A Oxford, déclara Lady Chalgrove, il y a cinq hommes pour une femme. Et, belle comme vous l'êtes, nul doute que d'ici à huit jours, une nuée d'amoureux transis ne campent dans mon jardin.

Elle ajouta en riant :

— J'ai horreur des papiers gras. Enfin, ma chère, vous m'êtes très sympathique, et j'espère que Cupidon ne vous enlèvera pas trop tôt. Pour une fois que j'ai la chance d'avoir la compagnie d'une jeune et jolie fille. Gaie, qui plus est, et la gaieté, aujourd'hui !...

Elle leva les yeux au ciel et poussa un soupir qui en disait long sur ce qu'elle pensait de la jeunesse actuelle. Le tout avec une gentille ironie.

Clarisse envoya du bout des doigts un baiser à sa vieille amie, et sortit :

— Faites-vous plus belle encore, si cela est possible, lui lança Lady Chalgrove, si vous voulez amadouer mon sauvage de neveu qui devrait débarquer ce soir de sa brousse africaine, par le train de dix-neuf heures vingt-huit.

Elle regarda sa montre :

— Dans trente-deux minutes, exactement.

— Je ferai l'impossible, plaisanta Clarisse d'une voix de théâtre, et elle grimpa quatre à quatre le grand escalier de bois sculpté qui menait à sa chambre.

Trois quarts d'heure après, une créature de rêve descendait le grand escalier : le *Printemps* de Botticelli sorti de son cadre.

Clarisse avait revêtu son jupon de dentelle blanche et un corsage de broderie hongroise qui dégageait ses épaules blanches. Ses cheveux, dont seuls les peintres vénitiens auraient pu rendre l'éclat cuivré, étaient simplement retenus par deux peignes et tombaient librement sur son dos, rehaussant encore la pureté diaphane de son visage. Elle ressemblait ainsi à une de ces belles héroïnes dont Lady Chalgrove inventait les histoires.

La vieille dame qui savait si bien nouer les intrigues saurait-elle tisser la trame du destin qui l'attendait ?

Qui sait ?

2

Clarisse entra dans le salon.

Entre les hauts lambris faiblement éclairés, un homme, de dos, assis au piano, jouait de la manière la plus merveilleuse du monde la *Marche Funèbre* de Chopin.

La vieille dame agitait un grand éventail de soie bleue devant son visage et chantonnait, les yeux mi-clos, en accompagnant la musique. Elle paraissait plus faible, plus démunie, rajeunie en quelque sorte dans la lumière tamisée qui venait de la petite lampe posée sur un guéridon. Cette vision parut magique à la jeune fille, dans l'éclair de la porte ouverte et aussitôt refermée. Elle avait eu un moment de stupeur, la sensation d'une plongée dans le rêve, dans la poésie, dans l'ailleurs.

Lady Chalgrove leva un œil sur Clarisse et, d'un coup sec de l'éventail, frappa une touche du piano.

Elle dit gaiement :

— Cela suffit, Trevor, tu termineras le jour de mon enterrement.

— Vous n'avez rien perdu de votre autorité, ma tante, ni de votre humour, je vois, dit l'homme en baisant la main ridée de Lady Chalgrove.

Celle-ci soupira en disant :

— Mon pauvre Trevor, le jour n'est pas loin où tu me suivras seul sur le long chemin qui mène au cimetière.

Sa voix descendit d'un ton. Une plainte de mourante sortit de ses lèvres. Une plainte qui contrastait curieusement avec ce visage aux yeux malins et cette bouche volontaire.

— Je suis au plus mal, mon pauvre Trevor. Je suis au plus mal.

Elle poussa un dernier soupir d'opéra et se força à tousser :

— Là, tu vois bien, Trevor, mes poumons sont pris. Je n'en ai plus pour longtemps. Heureusement que mes derniers moments sont radoucis par la présence de ma merveilleuse jeune amie. Venez, Clarisse, que je vous présente mon neveu.

Celui-ci fit volte-face sur le tabouret, se leva et regarda la blanche apparition qui s'avançait vers lui :

— Trevor Mostyn, Clarisse de Lignancourt.

Devant Clarisse se tenait un homme d'une trentaine d'années, d'une taille nettement plus haute que la moyenne, et dont le costume de tweed n'arrivait pas à masquer la musculature. A première vue, Trevor Mostyn était l'opposé de ces garçons gracieux et frêles qu'elle croisait si souvent et qui la laissaient indifférente.

Une idée vint à l'esprit de la jeune Française : il ne devait pas aimer les mondanités. Puis les yeux de Clarisse s'arrêtèrent sur le visage de l'homme : sa tête, légèrement rejetée en arrière, était portée par un cou vigoureux, ses mâchoires étaient puissantes, carrées ; ses joues creuses ; son nez bien découpé prolongeait un front haut et bombé ; sa lèvre inférieure était pleine, l'autre un peu sinueuse, et un sourire ironique relevait les commissures ; son menton saillant était troué d'une fossette ; ses yeux d'un gris lumineux étaient enchâssés dans des paupières lourdes et étirées.

Trevor Mostyn était attirant, mais surtout impressionnant de force et d'autorité. « Voilà, se dit-elle, un homme qui ne doit pas avoir froid aux yeux. »

Il se leva, s'inclina devant la jeune fille, s'avança pour serrer la main qu'elle lui tendait, mais au premier pas qu'il fit, il poussa un cri de douleur :

— Qu'as-tu ? demanda sa tante.

— Rien. Rien du tout. Cette maudite cheville. Le plaisir de vous revoir, ma chère tante, et cette apparition céleste m'avaient fait oublier un instant les petits désagréments de mon arrivée dans cette charmante ville : figurez-vous qu'en arrivant à la gare, j'étais en train de héler un taxi quand un chauffard, probablement ivre comme tous les Anglais après sept heures du soir, s'est proprement rué sur moi, m'a renversé et, sans se soucier le moins du monde de savoir si j'étais mort ou vivant, est reparti en trombe.

— En voilà, des manières, fit sa tante, indignée. Mais tu as peut-être quelque chose de cassé ? Fais voir.

— Non, non, ce n'est qu'une vague foulure. Pas de quoi s'attendrir, je vous assure. Demain, il n'y paraîtra rien.

Il jeta un coup d'œil circulaire à la pièce :

— Où cachez-vous ce fameux porto, cet élixir des dieux dont mes papilles gardent encore le souvenir depuis ma dernière visite ? C'est exactement ce qu'il me faut, dans l'instant même. Il n'existe pas au monde de meilleur remède.

— Tu le trouveras dans le buffet, avec les verres.

Trevor Mostyn fit deux pas qui lui arrachèrent des grimaces :

— Décidément, ce n'est pas brillant. Ah ! si je tenais le goujat... fit-il en se rasseyant.

— Tu n'as même pas relevé le numéro d'immatriculation ?

— Je n'ai pas eu le temps. Il roulait à tombeau ouvert. Mais n'en parlons plus. Cet incident est sans aucun intérêt. Trinquons plutôt à nos retrouvailles puisque cette prévenante jeune fille a déniché l'ambroisie.

Affalé, les pieds cavalièrement posés sur la table, il avala d'un trait le verre que lui avait tendu la jeune fille, sans même un merci.

Il la regardait, maintenant, de ses yeux clairs et perçants, où luisait une lueur d'ironie, et la détaillait de la tête aux pieds, avec une curiosité qu'il ne cherchait pas à contenir. Agacée, Clarisse finit par lui lancer un regard furieux.

Il éclata de rire :

— Ne vous méprenez pas, ma belle, mon regard est celui du fureteur qui cherche à crocheter les portes du mystère. Le regard d'un anthropologue qui se demande d'où peut bien venir ce type de femme blanche d'une aussi grande beauté, si elle est un produit purement français. Mais surtout ne dites rien. Laissez-moi deviner.

Il se prit la tête dans les mains, et resta ainsi, dans l'attitude du penseur :

— Un mélange méditerranéen avec un peu d'alpin : brachycéphalie prononcée. Approchez-vous, mademoiselle.

Un peu surpris, Clarisse accepta de se prêter aux observations du jeune homme :

— Les dimensions de la partie pré-auriculaire de la tête dérivent du rameau dolichocéphale, d'où la position postérieure de l'oreille : les largeurs du secteur sagittal médian de la face sont héritées de l'ancêtre leptoprosope...

— Quelle goujaterie ! s'écria Lady Chalgrove. Est-ce ainsi que l'on rend, de nos jours, hommage aux jolies femmes ?

Trevor Mostyn, ignorant la remarque de sa tante, continuait son observation comme il l'aurait fait d'un coléoptère placé sous le microscope :

— Pommettes saillantes, yeux légèrement bridés, légèrement enfoncés dans une orbite joliment étirée : je vois du magyar là-dessous.

Clarisse regarda son examinateur droit dans les yeux :

— Touché ! Vous avez mis dans le mille. J'ai une grand-mère hongroise.

Trevor Mostyn éclata de rire :

— Méfiez-vous des femmes hongroises. Elles traînent avec elles Dieu sait quelle magie fatale aux hommes... Elles sont arrachées hors du temps comme les mandragores sont tirées du sol, et elles s'envolent la nuit, vers leurs lointaines forêts des Carpathes, pour retrouver les esprits de la Nature, les fées et les chats noirs, avec qui elles partagent leurs secrets, dans les arbres sacrés où elles célèbrent encore les anciens cultes du soleil, de la lune et du noir cheval de la nuit.

Il prononça ces dernières paroles avec une emphase ironique et répéta, sarcastique :

— Méfiez-vous des Hongroises.

Ces mots firent surgir dans le souvenir de Clarisse les mises en garde de la vieille cartomancienne : « Méfiez-vous... méfiez-vous de l'homme blond. » Celui qui était assis en face d'elle et qui la fixait non sans dureté était blond, d'un blond de poudre, cendré, mêlé de fils d'argent.

« Le cinquante-quatrième blond de la journée », pensa-t-elle. Fallait-il se méfier de celui-ci uniquement parce qu'il était le neveu de Lady Chalgrove et qu'il tenait des propos inattendus, si l'on considérait qu'il s'adressait à quelqu'un qu'il ne connaissait pas vingt minutes auparavant ? Fallait-il qu'elle s'en méfie parce qu'il ne ressemblait à aucun homme que Clarisse avait connu ou croisé jusqu'à présent sur son chemin ? Et qu'il la regardait de cette étrange façon ?

Jamais elle n'avait senti à ce point le poids d'un regard. Et pourtant, à Lyon, dans les rues, quand elle se rendait à ses cours, les hommes se retournaient tous sur son passage : ses cheveux, sa démarche ondulante, son ravissant visage attiraient les regards comme l'aimant happe la limaille.

La force magnétique qui se dégageait des prunelles de Trevor Mostyn, à présent silencieux, intimida la jeune fille.

Elle aurait voulu être drôle, spirituelle, trouver une repartie, mais ce regard volontaire lui clouait les paroles dans la gorge. Toutes les phrases qui venaient à son esprit lui paraissaient bêtes.

Heureusement, sa vieille amie vint à son secours :

— Se méfier de Clarisse, quelle bêtise, mon pauvre Trevor. Il n'y a pas plus gentille, plus serviable. Ma vie a changé depuis qu'elle s'occupe de moi. Je suis gaie, je ris toute la journée, nous nous promenons ensemble et je ne sens plus le poids de mon infirmité. C'est un ange que le Ciel m'a envoyé là.

— Je plaisantais, ma tante. Je suis sûr que Clarisse est parfaite...

Il décocha un grand sourire à la jeune fille et poursuivit :

— Mais je me faisais une tout autre idée du physique des demoiselles de compagnie. Je les imaginais moustachues, vieilles, laides à faire peur, le mollet œdemateux et la poitrine plate.

Lady Chalgrove éclata de rire :

— C'est cela que tu souhaitais à ta pauvre tante ! Bravo ! Ce n'est vraiment pas très aimable. Moi, vois-tu, j'aime la beauté et la jeunesse, je vis par procuration et Clarisse m'inspire. Je la regarde : il me vient des idées d'intrigues.

Elle ferma les yeux et renversa la tête en arrière :

— Clarisse a la beauté des femmes qu'un jour ou l'autre un artiste de génie, ou un héros viendra enlever. J'imagine pour elle toutes sortes de destins. Les histoires me viennent quand je la regarde bouger, quand je l'écoute parler. Je revis ma jeunesse. Moi qui étais à court d'inspiration et qui ne ressentais plus rien sur la tombe de Fair Lady Rosamund, voilà que ça me reprend. Je me suis remise au travail.

— Et quelle abominable intrigue va encore sortir de votre tête ? Quel crime fumant ? Quelle diablerie ?

Lady Chalgrove regarda son neveu avec un air malicieux :

— Des diableries bien innocentes, mon cher, et qui ne feraient pas trembler un enfant de cinq ans. Des meurtres de salon, des empoisonnements furtifs. Jamais de sang...

La vieille dame se pencha et dit sur le ton de la confidence :

— Et remarque bien que je ne tue jamais que les méchants, les criminels, les vilains. Ceux qui méritent de mourir. Jamais il n'arrive le moindre mal aux jeunes et jolies créatures comme Clarisse.

Elle tourna la tête vers sa demoiselle de compagnie et lui sourit :

— En fin de compte, elles trouvent l'homme de leur vie, l'épousent et ont beaucoup d'enfants.

Trevor Mostyn se leva de son fauteuil, fit un effort pour réprimer sa grimace de douleur et se dirigea vers la grande bibliothèque en bois de chêne qui occupait un mur entier du salon. Il chercha parmi les étagères et en sortit un petit livre bleu qu'il ouvrit au hasard :

— Ecoutez la gentille littérature de ma douce et vertueuse tante, féminine en diable, et exempte de toute violence : « L'homme, dans un geste furtif, s'empara de la bombe pour la lancer le plus loin possible. Mais il tremblait de tous ses membres, et son visage se tordait dans une effroyable épouvante. La bombe explosa, dans un bruit fracassant, et son corps lacéré, ses membres en bouillie partirent en grandes éclaboussures de sang, un feu d'artifice apocalyptique. »

Il referma le livre :

— Cette délicate histoire porte le doux titre de : *Rêverie amoureuse.*

Il éclata de rire et tendit le livre à Clarisse :

— Lisez ce chef-d'œuvre qui a rapporté en son temps le premier prix du roman d'épouvante, et vous me direz demain ce que vous pensez de cette attendrissante histoire d'amour.

Clarisse prit le livre et promit, en riant, de le lire le soir même.

A ce moment-là, Timothy, le valet de chambre qui était au service de Lady Chalgrove depuis quarante ans, un homme long et maigre, entra dans le salon :

— Madame est servie, dit-il.

Il s'inclina respectueusement.

Chaque fois que Clarisse regardait cet homme, elle

était prise d'un petit frisson. Quel visage austère, figé !
Comment pouvait-on, ainsi, ne jamais rien refléter des
sentiments qui vous agitaient l'âme ? L'imagination ne
pouvait rien supposer derrière ce sourire de cire, ce
visage dont le masque n'était certainement jamais
tombé. Son sourire était-il monté un jour jusqu'à son
regard ?

« Voilà un personnage de roman », pensa-t-elle.
« Décidément cette chère vieille dame ne s'entoure que
de personnages de romans. » En passant devant le
maître d'hôtel elle lui sourit, juste pour voir s'il aurait
une réaction. Elle n'eut droit qu'à un salut de la tête,
imperceptible, poli et indifférent.

« Je jure de le faire rire », se dit-elle.

En entrant dans la salle à manger, elle sentit une
main puissante se poser sur son épaule. Elle tourna la
tête et tressaillit : Trevor Mostyn dardait sur elle son
regard métallique et volontaire.

— Ne vous inquiétez pas, dit-il, c'est la nécessité qui
m'oblige à recourir à vos services. Cette maudite
cheville se rappelle cruellement à mon souvenir.

Et la pression de sa main sur l'épaule de la jeune fille
se fit plus forte. Celle-ci ressentit un trouble dont elle
ignorait la cause. Que lui arrivait-il ?

« Je suis une idiote, se dit-elle. Une idiote timide et
effarouchée. Ressaisissons-nous. »

Contrairement à la plupart des Anglais, pour lesquels
la nourriture n'existe pas, la chère était excellente chez
Lady Chalgrove et elle veillait elle-même à la composi-
tion de ses menus.

— Je suis trop vieille pour les plaisirs de l'amour,
disait-elle, et condamnée par la nature à me priver de
toutes les joies dont d'ailleurs les ingambes ne savent
pas profiter. Que me reste-t-il aujourd'hui ? Les
évasions dans le rêve et les plaisirs de la table. Comme
disait cette grande dame du XVIIIe siècle dont je ne me
rappelle pas le nom : « Manger est une des quatre

grandes fins de l'homme, quant aux trois autres, je ne m'en souviens plus. »

La gourmandise, dans cette maison, n'était plus un péché mais un art que la vieille dame poussait jusqu'au raffinement.

Les plaisirs de la table commençaient dès l'entrée dans la salle à manger : les murs étaient recouverts de boiseries blondes. Le plafond sculpté était étoilé des armoiries de la famille Chalgrove. Des rideaux de soie blanche se retroussaient en portière devant les fenêtres. Des candélabres de bois sculpté dont les pieds représentaient des têtes de lions éclairaient de petites flammes la table d'acajou clair. L'argenterie brillait sur une desserte vénitienne. Le sol dallé de marbre était encombré des plus beaux tapis d'Ispahan. Au milieu de la table, un bouquet d'orchidées était disposé dans une vasque d'albâtre.

Après avoir dégusté dans un silence quasi religieux la flamiche aux poireaux, plat aussi peu anglais que possible, et après avoir bu un excellent châteauneuf du pape, les langues des convives se délièrent.

Trevor Mostyn évoqua avec humour les deux années qu'il venait de passer en Côte-d'Ivoire. Après de brillantes études d'anthropologie à Oxford, il était allé observer sur place les mœurs des Koulango et des Dan, au fin fond des forêts denses à l'ouest du pays, et il avait vécu, comme les indigènes, dans une petite case ronde au toit conique recouvert de chaume, aux murs d'argile durcie, ne se nourrissant que de mil et d'igname.

Il fourmillait d'anecdotes qu'il racontait avec un grand luxe de détails. Il avait un don certain de conteur et tenait en haleine les deux femmes avec ses aventures. Il était drôle, incroyablement exubérant et démonstratif pour un Anglo-Saxon, et avait un sens de l'exagération qui, lui non plus, n'était pas britannique.

— A t'entendre, remarqua Lady Chalgrove, tu as risqué ta vie à chaque pas, et ces Dan sont des gens effroyablement dangereux.

Il éclata de rire :

— Tout au contraire, ma tante, ce sont des gens délicieusement sociables et civilisés. Quant à risquer ma vie, ne la risque-t-on pas tous les jours, moi peut-être plus qu'un autre, non par mon métier, mais à cause de mon goût du risque, justement...

Tout d'un coup il devint songeur. Son front se plissa, et son regard devint fixe, presque inquiet :

— Qui sait, dit-il d'une voix plus posée et plus basse, peut-être ma vie est-elle plus en danger dans le confort douillet de cette demeure que dans les brousses africaines ?

Il but une gorgée de vin et reposa son verre, d'un geste nerveux.

— Qui sait ? répéta-t-il, songeur. Le danger continue souvent à rôder bien après qu'on l'a affronté. Il est des choses auxquelles on ne peut pas toucher sans laisser des plumes.

— Que voulez-vous dire par là ? demanda Clarisse, intriguée.

Il la regarda droit dans les yeux et sourit. Clarisse remarqua son expression de lassitude.

— Rien, rien. Oubliez. Et profitons de cette merveilleuse soirée.

Il leva son verre à nouveau et dit, pour chasser son étrange tristesse :

— Profitons de la douceur de nous retrouver dans un des plus beaux endroits du monde, autour de cette table et de ce faisan que les plus fins gourmets mangeraient à genoux.

Et, changeant brusquement de sujet, il lança, sur le ton de la déclamation :

— Je suis partisan des causes secondes et crois fermement que le genre entier des gallinacés a été créé uniquement pour doter nos garde-manger et enrichir nos banquets...

Et il piqua cavalièrement sa fourchette dans le plat que le valet de chambre avait laissé sur la table.

Sa tante le regardait curieusement et cette remarque lui échappa :

— Mon neveu aurait-il appris la peur dans ces contrées lointaines ? Qu'il se rassure. Entre nos vieux murs, il n'y a pas de menaces. Il n'y a de place que pour la peur qu'on veut éprouver et qu'on s'invente, les soirs d'octobre comme celui-ci...

Elle poussa un long soupir et poursuivit :

— La peur, c'est surtout de l'imprévu, et il n'y a presque plus d'imprévu. Tout est réglé, organisé, rationalisé... Dommage, dommage... Il faut de l'imagination pour avoir peur.

Elle jeta un coup d'œil gentil vers sa demoiselle de compagnie :

— Il faut de la fantaisie pour s'imaginer que les femmes qui ont du sang hongrois sont nées de la mandragore qui chante à minuit sous l'affreuse rosée dégouttant des gibets. Il n'y a plus aucune raison d'avoir peur de quoi que ce soit, sinon de son taux de cholestérol ou des chauffards nocturnes. Nous ne risquons plus rien.

— On dirait vraiment que vous le regrettez, madame, dit Clarisse avec un certain étonnement.

— Et vous, ma petite ? Allez, soyez franche, ne trichez pas avec une vieille rusée comme moi. Cela ne marche pas. Ne regrettez-vous pas d'avoir à vous coucher tout à l'heure, sous le coup de dix heures, sans que le moindre petit imprévu soit venu changer le cours de votre soirée ? Ne craignez-vous pas que, demain, votre journée soit aussi calme qu'elle l'a été aujourd'hui ?

— Mais, aujourd'hui, madame, nous avons écouté les histoires passionnantes de votre neveu. Voilà de l'imprévu !

— Sa visite était attendue.

— Mais ses aventures ne l'étaient pas !

« Et lui non plus ne l'était pas », pensait-elle. On attendait un neveu qui devait débarquer de Côte-d'Ivoire, mais Clarisse aurait-elle pu imaginer une seconde que cet inconnu ne ressemblerait pas aux autres, qu'il aurait l'air d'un bandit, qu'il aurait des yeux trop brillants, que le poids de sa main sur son épaule allait être aussi troublant ?

Pas une seconde elle ne s'était ennuyée à Oxford, elle y avait rêvé dans un doux alanguissement en se promenant dans les rues, le cœur gonflé d'admiration. Et chaque instant lui avait réservé une surprise. Elle n'avait eu aucun besoin d'éprouver d'autres frissons que les frissons de joie qu'elle ressentait toute la journée. Mais, à présent, elle se rendait compte, sans pouvoir s'expliquer pourquoi, que son séjour à Oxford avait été trop calme. Sa vie entière avait été trop calme : une partie de son cœur était restée vide.

Elle comprenait, en cette fin de soirée, la tête un peu échauffée par l'excellent vin dont elle avait peut-être bu deux gorgées de trop, qu'à la longue les sentiments tranquilles lui faisaient souhaiter les orages.

Clarisse devait s'avouer qu'elle attendait quelque chose. Mais quoi ?

Les bougies avaient fondu dans les candélabres. La soirée avait passé comme un éclair dans le feu des récits de cet aventurier. Cet homme si sûr de lui avait pourtant paru vulnérable à Clarisse.

Quelle étrange contradiction dans ce mélange étonnant de force et de tristesse, dans ce regard dur qui parfois se chargeait d'une incompréhensible inquiétude. On eût dit que Trevor avait été atteint au plus profond de son être, que ses grands éclats de rire étaient forcés, tout comme sa voix qui semblait cacher quelque étrange mystère.

Ils passèrent au salon et, à onze heures du soir, ils étaient encore à traîner autour de tasses à café vides et de verres à liqueur posés sur le petit guéridon d'acajou. Lady Chalgrove sommeillait dans son fauteuil.

Les derniers tisons jetaient des éclairs rougeoyants dans la pièce. Clarisse se leva pour ranimer le feu.

Elle se pencha avec sollicitude sur la vieille dame pour lui remettre son châle qui venait de glisser de ses

34

épaules. Ce faisant, elle croisa le regard désapproba-
teur de Trevor Mostyn. Il dit d'un ton cinglant :

— Tant de beauté alliée à tant de douceur ! On croit
rêver.

Cette remarque la blessa profondément. Elle jeta
d'une voix méprisante :

— Ma bonté ira même jusqu'à vider les cendriers et
à aérer cette pièce que vous avez abominablement
polluée avec vos cigares.

Elle se dirigea vers la haute croisée qu'elle ouvrit
d'un geste brusque. Elle s'avança sur le balcon pour
respirer ce parfum d'herbe noyée de brume qui montait
de la rivière, quand elle entendit un bruit, comme un
glissement étouffé, qui semblait venir du perron :

— Jaï Shankar, s'écria-t-elle. Est-ce vous ? Atten-
dez, je viens vous ouvrir.

Elle referma la porte-fenêtre et jeta à Trevor, en
traversant la pièce :

— Ce doit être le locataire indien de votre tante qui
a oublié sa clé.

Quelques instants plus tard, elle était de retour. Une
légère surprise mêlée de contrariété se lisait sur son
visage.

— C'est étrange, dit-elle. J'aurais juré que quelqu'un avait marché dans l'allée du jardin. Mais il n'y
avait personne.

Trevor ricana :

— Les histoires de ma tante semblent vous monter à
la tête.

Elle persista :

— Je vous jure que si. Je suis persuadée qu'il y avait
quelqu'un dans le jardin.

— Effet de votre imagination, grommela-t-il. Et de
ce vin.

— J'ai certainement bu beaucoup moins que vous,
j'ai un foie en excellent état, et vous n'étiez pas sur le
balcon, que je sache. Sur ce, monsieur, je vous salue.
Ou plutôt, nous vous saluons.

Elle exécuta une petite courbette gracieuse, et alla

jusqu'au fauteuil de la vieille dame qu'elle embrassa gentiment pour la réveiller :

— Ah ! fit Lady Chalgrove en ouvrant les yeux. Figurez-vous que je rêvais.

Elle se passa une main sur le visage comme pour effacer les dernières vapeurs du sommeil.

— Mon Dieu ! Quel rêve étrange ! Je voyais une rivière. Ah ! quelle horreur. Quelle horreur ! Et ces chants, ces mélopées de pleureuses orientales qui n'en finissaient pas. Quelle sensation bizarre ! Vite, au lit Que je me replonge dans un autre rêve.

Elle se tourna vers son neveu :

— Je n'ai pas besoin de te montrer ta chambre. C'est toujours la même, celle du cardinal Wolsey. Que celui-ci bénisse ta première nuit parmi nous, comme je le fais moi-même.

— Quelle fidélité dans vos affections ! C'est pour cela que je vous aime, ma chère tante, dit Trevor, qui s'était levé maladroitement pour baiser la main de Lady Chalgrove.

En poussant la vieille dame jusqu'à sa chambre, Clarisse sentit un léger pincement au cœur. Elle n'aurait pas su dire pourquoi.

3

Clarisse se leva tôt.

C'était une de ces merveilleuses journées d'octobre où le soleil, scintillant sur les plus beaux clochers du monde, en faisait sortir de la brume les dentelures gothiques.

Ce matin-là, avant de partir pour Godstow, Lady Chalgrove avait tenu à se faire pousser sur son fauteuil roulant à travers la ville, pour en montrer les beautés à Clarisse. Elles avaient flâné dans les jardins de Magdalen College, où grouillait déjà la foule des étudiants joyeux en ce jour de rentrée universitaire.

Dans le cœur de Clarisse, il n'y avait plus qu'un endroit au monde, et c'était cette ville aux pavés inégaux, aux ruelles bordées de lampadaires qui donnaient aux maisonnettes le gris lumineux des peintures de Vermeer. Ces pelouses émeraude où paissaient des biches apprivoisées et où les dahlias expiraient dans leurs dernières fragrances.

Au milieu d'une allée, revêtus de leurs seyantes toges noires, deux étudiants déclamaient du Shakespeare. Ce spectacle les avait arrêtées un instant.

— Voilà tout le charme d'Oxford, s'était extasiée Lady Chalgrove. Où, ailleurs, pourriez-vous voir jouer Othello et Desdémone à dix heures du matin, au milieu des biches et des ormeaux ? Mais ne vous y trompez pas. Bien qu'ils folâtrent en déclamant des vers, ces jeunes gens représentent l'élite de l'Angleterre.

Elle prit un ton solennel pour dire :

— *Gaudeat, nisi qui in aliquod Collegium vel Aulan admisus fuerit.* Ce qui veut dire…?

Elle leva un œil interrogateur sur Clarisse, qui resta muette.

— Ce qui veut dire, petite ignorante : Réjouis-toi, toi qui a été admis dans cette Université. Cette Université qui a formé le Pape Alexandre V, Evelyn Waugh, Tom Brown, Shelley, vingt-deux premiers ministres, dix vice-rois des Indes, l'arrière-grand-père de Washington, le duc de Windsor — celui-ci, ce n'est pas une réussite —, Oscar Wilde, des myriades d'évêques… Cette Université où est née la géologie moderne, où on a administré la pénicilline pour la première fois, où Robert Burton a écrit son *Traité sur la Mélancolie,* où le maréchal James Brook a gagné le premier concours de saut en hauteur, où Einstein jouait du violon. Réjouissez-vous, Clarisse, et ne perdez pas votre temps ici. Je veux être fière de ma protégée.

Studieuse, certes, Clarisse s'était bien promis de l'être. N'était-elle pas venue à Oxford, dans un des meilleurs collèges d'Europe, pour apprendre le chinois ? Elle pensait à la joie de Mme de Lignancourt quand, l'année prochaine, elle serrerait sur son cœur une fille bardée de diplômes. Clarisse les imaginait déjà, ces diplômes, écrits en lettres gothiques sur papier vélin : « Clarisse de Lignancourt a passé brillamment ses examens et a été reçue avec mention très bien. Certifié sur l'honneur : le directeur de Saint Anthony's College. »

L'après-midi, après la visite quotidienne à Fair Lady Rosamund, Clarisse se rendit à la bibliothèque pour y passer trois heures studieuses. Là, cachée par des piles de dictionnaires, elle ânonnait inlassablement les consonances étranges de la langue des mandarins, quand elle surprit un regard braqué sur elle.

Un jeune homme à l'air timide et à la chevelure paille dardait sur elle un œil émerveillé.

Elle sourit et se replongea dans ses livres, mais chaque fois qu'elle levait les yeux, elle surprenait le regard du jeune étudiant. Il n'avait rien, se disait-elle, de la gouaille des étudiants français, et son air embarrassé la surprenait agréablement. Ainsi, quand à la fin de l'après-midi, il balbutia :

— Pour... pourquoi ne... ne prendriez-vous pas... une tasse de café avec moi ? demanda-t-il avec un accent d'Oxford typique.

Elle accepta sans façon.

— Je... je m'ap... appelle Ambrose Rigby, fit l'étudiant qui s'inclina devant elle, négligeant de serrer la main que Clarisse lui tendait.

Elle se présenta à son tour et ils sortirent de la bibliothèque.

L'*Osiris,* qui se trouvait à deux pas de Saint Anthony's était, lui dit Ambrose Rigby, un café où les étudiants avaient coutume de se retrouver entre deux cours pour avaler un sandwich et une tasse de cet infâme café marron :

— Dont nous gardons jalousement le secret, fit Ambrose.

— Secret que personne au monde ne songerait à vous voler, répondit Clarisse.

Ils éclatèrent de rire, pénétrèrent dans le petit snack-bar et allèrent s'asseoir à une longue table autour de laquelle une nuée de jeunes garçons, étudiants et hippies, s'étaient regroupés, sans pour autant essayer de lier connaissance. Pas de cris, pas de rires, tout le monde buvait avec un sang-froid tout britannique le breuvage douteux à base de malt. Certains commentaient à mi-voix leurs premiers cours à l'Université. L'atmosphère était calme et studieuse.

— Quelle merveilleuse journée, commença le jeune homme aux cheveux paille, qui ne trouva que cette platitude pour amorcer la conversation.

— Merveilleuse, en effet.

Clarisse regardait son vis-à-vis avec un air amusé et poursuivit :

— Eh bien, vous, alors, vous êtes vraiment curieux. Après avoir eu le culot de m'accoster et de me fixer sans retenue pendant des heures, voilà que, maintenant, vous n'osez plus dire un mot !

— C'est que... c'est que... maintenant que je vous vois de tout près, je... je m'aperçois que... que vous êtes encore plus be... belle que je croyais... Et vous... vous m'impressionnez.

Clarisse éclata de rire en voyant rougir le jeune homme.

« Tiens, se dit-elle. Lui aussi est blond. » La phrase de la cartomancienne lui revint : « Méfiez-vous... méfiez-vous... »

Elle sourit : comment se méfier d'un gentil blondinet aussi bien élevé, aussi timide ? Les prédictions de la sibylle étaient comiques, à cet instant. Ce jeune étudiant qui regardait Clarisse avec un effarement émerveillé en l'entretenant d'une voix appliquée des études qu'il faisait à Saint Anthony's — les mêmes études qu'elle — était au-dessus de tout soupçon. Rien de plus limpide que ses yeux bleus, comme délavés, et rien de plus rassurant que sa timidité.

Pourtant, n'était-ce pas un signe qu'elle se soit assise justement en face de lui, à la bibliothèque ?

Elle l'observa avec une curiosité accrue.

Il n'était pas laid du tout, se disait-elle, bien au contraire. Mais ses traits trop fins, son teint trop pâle lui donnaient un air efféminé. Il manquait de piquant. Grand, mince, bien bâti, il avait néanmoins dans son allure un côté gauche et efflanqué.

Quelques rides au coin des yeux, cinq ans de plus, un grand chagrin, les bienfaits du soleil, et il serait même tout à fait beau, se dit la jeune fille. Oui. Mais serait-il jamais troublant ?

Cette question lui remit en tête l'image de Trevor Mostyn et une bouffée de chaleur lui monta au cœur, quand elle évoqua l'anthropologue, ses regards aigus, sa carrure impressionnante et son sourire d'homme sûr de soi.

Elle s'efforça de chasser ces visions qui, curieusement, lui gâchaient le moment présent et l'agréable conversation d'Ambrose Rigby.

Ce visage enfantin cachait une grosse tête. Ambrose Rigby qui maintenant parlait d'abondance, comme pour masquer sa timidité, avait appris à Clarisse qu'il venait de passer trois ans à Oxford. Après de très brillantes études dans le collège de Balliol, le plus réputé d'Oxford, il était sorti premier, avec félicitations du jury, et préparait maintenant un doctorat d'économie politique, en même temps qu'un diplôme de chinois. Et s'il cumulait les études, c'était en partie pour avoir le bonheur de rester à Oxford qu'il voulait quitter le plus tard possible, sinon jamais.

— Vous êtes ici depuis trop peu de temps, dit-il à Clarisse, mais, bientôt, vous verrez. Cette ville vous enveloppera, vous enfermera dans son passé et dans son histoire. Vous aimerez chacune de ses pierres. Vous vous sentirez protégée, comme si les hauts murs des collèges vous préservaient de la réalité.

Clarisse dut avouer qu'elle ressentait déjà cette impression après quelques jours.

— Ailleurs, continua-t-il, on se bat. On meurt. On se déchire. Le temps passé ici, c'est comme une parenthèse dans la vie. On a l'impression que le temps s'arrête. On vit comme dans un rêve.

Après s'être mouché d'une manière très pragmatique, il regarda la jeune fille dans les yeux et ajouta :

— La preuve : la première fois que je lève les yeux de mes livres, que vois-je en face de moi ? Une ravissante Française. Et, miracle d'Oxford, voici que le rêve prend corps, si je puis dire, et que vous êtes là, en chair et en os.

— Pas pour longtemps, dit Clarisse en jetant un coup d'œil à sa montre. Il est déjà six heures et demie. Il faut que je rentre car des réalités tout ce qu'il y a de plus terre à terre m'attendent à cette heure-ci.

Elle but d'un trait le reste de café insipide qui refroidissait dans sa tasse et se leva d'un bond.

— Vous reverrai-je ? hasarda Ambrose.

« Pourquoi pas ? se demanda la jeune fille. Il a l'air très comme il faut, dirait ma mère : Anglais jusqu'à la racine des cheveux, distant et séduit à la fois. J'ai passé une demi-heure charmante en sa compagnie. » Pourquoi refuserait-elle une amitié qui s'offrait si spontanément à elle ?

— Volontiers, lui répondit-elle, en souriant.

Tout joyeux à l'idée de la revoir, il se leva pour l'accompagner à la porte.

— Je reste ici pour potasser mon cours un petit moment. Mais sachez que vous pouvez me trouver tous les jours à l'*Osiris* à l'heure du thé.

— A toutes les heures, donc, plaisanta Clarisse.

— A l'heure où les Français prennent le thé, précisa-t-il, vers cinq heures et demie.

L'heure du thé. En Angleterre, c'était toujours l'heure du thé. C'était évidemment l'heure du thé quand Clarisse pénétra dans le salon trop sombre de Lady Chalgrove.

Celle-ci sirotait une tasse de Earl Grey, le coude appuyé sur son lourd bureau de palissandre, en relisant les pages qu'elle avait noircies pendant la journée. Clarisse l'entendit déclamer d'une voix de théâtre :

— « Et il s'en fallut de peu qu'Eleanor, à cet instant, ne tombât évanouie de douleur sur le lit où de si longs mois durant elle avait inondé de larmes amères son oreiller de dentelle ; oui, il était bien parti, cette fois. Jamais elle ne le reverrait. Il fallait qu'elle se mette dans la tête, une fois pour toutes, qu'il appartenait à une autre. Plus jamais elle n'entendrait résonner sa voix forte sous les hautes voûtes du château de Courbon. Dorénavant, elle était une femme seule. Son ombre solitaire se dessinerait sur les murailles crénelées du chemin de ronde, les soirs de lune… » Ah, Seigneur Dieu, qu'est-ce qu'il pourrait bien lui arriver maintenant ? Je suis trop fatiguée, je n'ai pas la moindre idée.

Clarisse toussota pour signaler sa présence, et Lady Chalgrove se retourna sur son fauteuil d'infirme pour découvrir la jeune fille postée dans l'embrasure de la porte :

— Tiens, dit-elle, on peut dire que vous tombez à pic. Voulez-vous me dire, vous qui êtes jeune, ce que ressent une femme qui vient d'être abandonnée par l'homme qu'elle aime ? Mes souvenirs ont disparu dans la nuit des temps, et les histoires d'amour me paraissent bien dérisoires du haut de mes quatre-vingt-cinq ans.

— Je le ferais volontiers, si je le pouvais. Mais j'ai bien peur que la simple expérience ne me fasse défaut. J'ai à peine vingt ans, et je n'ai pas l'habitude de me promener les soirs de lune sur des chemins de ronde, répondit Clarisse, mi-confuse, mi-amusée.

— Ma pauvre chérie, vous n'y couperez pas, vous non plus. Peut-être n'y aura-t-il pas de chemin de ronde, mais le jour n'est pas loin où vous attendrez le retour de quelqu'un, la mort dans l'âme.

Clarisse resta pensive. L'amour ne signifiait pas encore grand-chose pour elle, pourtant elle sentait comme un début de vérité dans les paroles de la vieille dame. La seule présence de Lady Chalgrove dans cette maison lugubre ne la satisfaisait plus depuis très peu de temps. Elle se sentait un peu triste et un peu déçue sans savoir très bien pourquoi.

La vieille dame l'interrompit dans ses rêveries :

— Allez donc couper quelques dahlias dans le jardin avant qu'ils ne meurent. Je voudrais une jolie table pour ce soir.

Clarisse sortit du salon, prit le sécateur dans l'office et se dirigea vers le jardin. Il embaumait des dernières senteurs du soir. La jeune fille avait beau ne ressentir aucune sympathie pour le maître d'hôtel qui faisait en même temps office de jardinier, elle devait reconnaître qu'il était un magicien.

Le jardin descendait en terrasses jusqu'à la rivière, bordée sur son autre rive par un petit bois. A travers les arbres qui commençaient à se dénuder, on voyait apparaître les toits et les clochers des collèges. La pelouse grasse était encombrée de menus pommiers du Japon et de peupliers d'Italie, élagués en berceaux. On avait octroyé une indulgence plénière aux ronces et aux orties qui poussaient dans un superbe enchevêtrement à l'orée de la futaie. Des parterres de roses, de cyclamens et de dahlias poussaient, entretenus avec une négligence savante, et étaient bordés de myosotis et d'héliotropes.

Un jardin de rêve sur lequel Lady Chalgrove n'ouvrait jamais les fenêtres. Pourquoi, alors, la vieille dame le faisait-elle entretenir avec autant de soin ? Etait-ce simplement pour avoir des fleurs dans ses vases, et pour provoquer l'admiration de ses invités ? Peut-être, en fermant ses fenêtres, voulait-elle s'habituer à l'idée qu'un jour prochain, elle ne verrait plus toutes ces beautés, et s'enfermait-elle exprès, dans la pénombre de sa bibliothèque, pour se retirer d'un monde dans lequel elle n'avait plus pour très longtemps à vivre ? Cela cadrait assez bien avec son goût prononcé pour les cimetières. A l'approche de la mort, il doit vous venir de ces idées incompréhensibles pour un être jeune.

Un murmure s'élevait de la chambre du second étage. En levant la tête, Clarisse aperçut dans l'embrasure de la fenêtre le locataire indien, Jaï Shankar, qui marchait de long en large, en hochant la tête, comme à son habitude.

« Drôles de gens. Drôle d'atmosphère... », se dit Clarisse, tout en continuant à couper dans la plate-bande les plus beaux dahlias.

Soudain, son geste fut arrêté par un crissement violent sur le gravier de l'allée. Une voiture, arrivée en trombe, avait stoppé net, d'un seul coup de frein, devant le perron de la maison. Une porte claqua et Trevor Mostyn apparut. Quand il vit Clarisse, il marcha vers elle et la jeune fille s'aperçut qu'il boitait encore.

— O Titania, Reine des Fées, à quelle besogne êtes-vous occupée ? Tracez-vous des cercles magiques dans la prairie où vous danserez ensuite, au sifflement des vents, votre petite ronde ?

L'exubérant neveu de Lady Chalgrove n'avait pas changé depuis la veille. Toujours aussi moqueur. Et elle, devant lui, était toujours aussi timide. Que lui arrivait-il ? Ce n'était pourtant pas son genre de rester plantée, à ne savoir que dire. Elle avait toujours eu la répartie prompte, et elle s'en voulut terriblement quand elle s'entendit répliquer :

— Je cueille tout simplement des fleurs pour votre tante.

— Touchante attention. Puis-je ajouter que ce cadre fleuri sied tout à fait à votre beauté ? Si j'étais peintre, c'est ainsi que j'aimerais vous immortaliser, au milieu des fleurs, avec un bouquet dans les bras, souriante, comme vous l'êtes, les cheveux épars.

Il s'était accroupi dans l'herbe et la regardait si intensément qu'elle détourna les yeux et, pour se donner une contenance, entreprit d'enlever quelques mauvaises herbes oubliées dans la plate-bande par le jardinier.

— Elle est à vous, cette Austin ? demanda-t-elle pour amener la conversation sur un sujet banal, le temps de calmer son trouble.

— Absolument. En passant tout à l'heure dans Cowley Road, devant un garage, ma cheville me faisait tellement souffrir que j'ai décidé de ne plus marcher, et que j'ai payé deux cents livres comptant cette occasion merveilleuse. Une affaire, non ?

— En effet !

— Je pourrai vous emmener faire des balades dans la campagne, si vous y consentez. Vous verrez, il y a des coins splendides, par ici.

La jeune fille se retourna pour jeter un coup d'œil à Trevor. Pourquoi, au juste, avait-elle peur de lui ? Parce qu'il avait dix ans de plus qu'elle et qu'il était un éminent professeur ? Cette proposition qu'il venait de lui faire l'avait fait tressaillir. Pourtant elle n'avait rien de surprenant.

— Cela vous changera de vos visites quotidiennes au cimetière et de votre vie studieuse, continua-t-il.

— Mais je ne m'en plains absolument pas ! Je crois même n'avoir jamais été aussi heureuse qu'ici.

— Entre une vieille dame impotente et les étudiants boutonneux de Saint Anthony's College ?

— Ils ne sont pas tous boutonneux !

— Ah non ? Auriez-vous déjà trouvé le Dorian Gray fabuleux, tout droit sorti d'un roman de ma tante, traînant une irrésistible et fatale mélancolie sur le pont de Magdalen, ou dans quelque autre décor hautement propice à ce genre de rencontre ?

— Je suis venue ici pour travailler et passer mon examen de chinois, et je n'ai pas la moindre envie de tomber amoureuse, rétorqua-t-elle, en s'appliquant à prendre un air sérieux qui ne lui convenait pas.

Il éclata de rire :

— Je prends note des déclarations de Mademoiselle de Lignancourt une semaine après son arrivée. Dans quelques mois, nous verrons si ces belles résolutions tiennent encore ! A voir ! Je suivrai ça, soyez en sûre, avec le plus vif intérêt ! Vous seriez bien la seule femme à Oxford à ne pas tomber amoureuse. Ici, c'est un mal galopant qu'on attrape comme la rougeole, parce que l'amour est dans l'air, dans l'odeur, dans la brume. L'amour est partout. On n'y échappe pas, à moins évidemment qu'on n'ait déjà laissé son cœur ailleurs. De l'autre côté du Channel, par exemple...

Tout en mordillant un brin d'herbe, il leva un œil interrogateur vers Clarisse qui, faisant semblant de ne pas avoir entendu, remit le sécateur dans la poche de sa robe ; elle annonça d'une voix sèche :

— Je vais rentrer faire mon bouquet et voir si votre tante a besoin de quelque chose. A tout à l'heure.

D'un pas vif, elle franchit l'allée du jardin et disparut dans la maison sans se retourner.

Elle soigna tout particulièrement sa toilette, ce soir-là. Cela faisait plusieurs jours qu'elle ne mettait que des robes claires, blanches ou fleuries qui rehaussaient son éclat et sa jeunesse. Ce soir, elle voulait être différente. Elle choisit sa robe de jersey noire, longue, collante, et y accrocha un gros clip de brillants que lui avait donné sa mère, avant son départ. C'était le seul bijou de prix qui lui venait de sa famille. Puis elle coiffa ses longs cheveux en deux grosses tresses qu'elle enroula autour de sa tête. Elle éclaircit son teint avec un maquillage très pâle et souligna ses yeux d'un trait marron.

Ainsi, on ne remarquait plus que la finesse élancée de son corps et la délicatesse de son extraordinaire visage qui, avec cette coiffure, rappelait les figures de Léonard de Vinci. Elle semblait moins jeune, mais elle était plus belle, d'une beauté fragile et bouleversante.

— Qu'il ose se moquer de moi, ce Trevor, murmura-t-elle en se regardant dans le miroir, satisfaite de l'image qu'il lui renvoyait. Qu'il ose, ce scélérat ! J'ai été sotte jusqu'à aujourd'hui, maintenant, à moi de jouer...

C'est une jeune femme sûre d'elle et conquérante qui poussa, ce soir-là, la porte du grand salon.

En la voyant entrer, Trevor se leva sans prononcer un mot. Seuls ses yeux disaient son émerveillement. Clarisse, souriante, savourait son succès sans que cela se vît, et, le plus naturellement du monde, vint prendre sa place habituelle auprès de la vieille dame.

— La Belle Dame Sans Merci, fit simplement Lady Chalgrove, frappée elle aussi de la transformation de sa fille au pair.

Trevor se taisait toujours. Etait-ce là la candide jeune fille qui, il n'y avait pas une heure, cueillait des fleurs dans le jardin, en blue-jeans et en tee-shirt, les cheveux décoiffés ?

— Eh bien, mon neveu, es-tu transformé en statue de sel ? Va nous chercher le porto, s'il te plaît.

Trevor se ressaisit :

— Mais bien sûr. Tout de suite. Où ai-je la tête ? Je manque vraiment à tous mes devoirs.

Deux secondes après, la bouteille de porto et trois

verres étaient disposés sur le guéridon et Clarisse se
releva pour faire la jeune fille de la maison. Elle avait
décidé que ce soir serait « son soir », et qu'en quelques
heures elle remettrait les choses à leur place. Cet
aventurier arrogant verrait à qui il avait affaire, et
comprendrait enfin qu'elle n'était plus une enfant dont
il pouvait, à sa guise, se moquer du haut de ses trente
ans. C'est à peu près l'âge qu'il devait avoir, d'après
Clarisse.

Pendant l'apéritif et le dîner qui suivit, meilleur
encore que celui de la veille, elle fut gaie, insouciante,
charmeuse, provocante même, regardant Trevor droit
dans les yeux, et cherchant à l'étonner par les histoires
qu'elle racontait.

Elle relata avec esprit ses années passées au Sacré-
Cœur de Lyon, un « pénitencier où elle avait purgé huit
ans de peine », et fit un récit piquant des sévices infligés
par les bonnes sœurs et des cours de maintien où elle
avait appris à faire la révérence de cour. Les rôles
étaient renversés. C'était elle qu'on écoutait. C'était
elle qui faisait rire.

Tout à coup, le téléphone sonna.

— J'y vais, dit Trevor qui se leva pour aller répondre. Il boitilla jusqu'au salon, et revint moins d'une
minute après :

— Qui était-ce ? demanda Lady Chalgrove.

Clarisse nota que Trevor avait l'air gêné quand il
répondit :

— Rien... rien... Quelqu'un qui n'a pas voulu se
démasquer. J'entendais nettement une respiration à
l'autre bout du fil, puis on a raccroché. Bizarre.

Il se tourna vers Clarisse :

— Un de vos soupirants, probablement. Dérouté
que ce soit un homme qui ait décroché.

— Certainement pas, répondit Clarisse d'un ton sec.

— Alors, peut-être était-ce tout simplement quelqu'un qui nous surveille, dit Lady Chalgrove tout
émoustillée. Un cambrioleur, un espion ! Qui sait !

Ce coup de téléphone nous aura valu quelques minutes de suspense. Quelle chance !

Elle soupira avant d'ajouter :

— Enfin, ne rêvons pas.

Et, voyant que ses hôtes la regardaient avec un certain étonnement, elle se reprit et dit avec un petit rire :

— Je voulais dire : ne dramatisons pas, ne cherchons pas midi à quatorze heures et continuons à nous divertir en écoutant Clarisse nous narrer les mésaventures d'une jeune fille du monde au couvent.

Mais, curieusement, ce coup de téléphone mystérieux avait rompu le charme de ce dîner. Clarisse remarqua que Trevor ne l'écoutait plus que d'une oreille distraite, et que, comme la veille au soir, il semblait inquiet, nerveux. Il tapotait sur la table du bout de ses doigts et jetait fréquemment des coups d'œil à sa montre.

Dès que le dîner fut fini, à peine étaient-ils levés qu'il déclara à Lady Chalgrove en lui baisant la main :

— Je vous prie de bien vouloir accepter mes excuses pour mon inqualifiable muflerie, mais je dois vous quitter car des obligations m'appellent hors d'ici pour deux petites heures.

La vieille dame le regarda d'un air malicieux et lui donna une petite tape amicale sur la main :

— Va, mon cher neveu. Va rejoindre tes obligations. J'espère qu'elles seront agréables, et... n'oublie pas de prendre ta clé.

La jeune fille, elle, se taisait. La déclaration de Trevor la décevait plus qu'elle n'aurait voulu se l'avouer.

Il s'inclina devant Clarisse et l'enveloppa d'un long regard. Comme il était beau à cet instant, pensa la jeune fille : ses yeux gris étincelaient dans son visage à la peau brune, encadré par la toison de boucles blondes. De sa vie, elle n'avait vu quelqu'un d'aussi séduisant.

Il rejeta une mèche de cheveux en arrière et ce geste

fut fatal pour Clarisse. Ses mains se serrèrent sur le dossier de sa chaise et elle bredouilla un « bonsoir » affolé. Sa belle assurance de la soirée s'était évanouie. Elle perdit un instant contact avec la réalité, l'endroit où elle était, la présence de la vieille dame, et elle le regarda fixement. Remarqua-t-il son trouble ? Avant de passer la porte, il sourit à la jeune fille.

Cette nuit-là, Clarisse tarda à s'endormir. Le vent qui gémissait dans les arbres et faisait battre un volet mal fermé à l'étage au-dessus l'agaçait. Plusieurs fois elle se surprit à écouter les bruits du dehors dans l'espoir d'entendre le crissement de pneus sur le gravier.

4

Lady Chalgrove s'était levée de son fauteuil et dansait avec le locataire indien, Jaï Shankar, sur un rythme de tango.

Le maître d'hôtel, un arrosoir à la main, regardait la vieille dame avec un air hautement réprobateur.

Trevor riait, riait, et son rire résonnait étrangement sous la voûte du grand hall. Apercevant Clarisse, il la saisit par la taille d'un bras vigoureux, et l'enleva dans un joyeux tourbillon. Puis, penchant son visage vers le sien, il l'embrassa passionnément sur les lèvres :

— Venez avec moi, dit-il de sa voix chaude et vibrante. Je vous enlève. Ensemble, tous les deux, nous irons sur la montagne. Vous verrez comme c'est beau, là-bas. De noirs corbeaux volent autour, très bas, en coassant.

Clarisse se réveilla en sursaut, couverte de sueur. Où était-elle ? Elle mit plusieurs secondes à réaliser qu'elle était assise sur son lit et qu'un soleil pâle éclairait sa chambre.

Ainsi, ce n'était qu'un rêve ? Ce baiser qu'elle ressentait encore sur ses lèvres, elle ne l'avait jamais reçu. Mais d'où venait que le bien-être éprouvé, l'impression d'intense bonheur s'étaient tout à coup transformés en malaise ? L'évocation de cette montagne dans la bouche de Trevor ? Oui, ce devait être cela.

Elle revit les yeux de saurien de la vieille cartomancienne braqués sur elle : « Je vois une montagne, méfiez-vous... »

Elle jeta un coup d'œil à son réveil qui marquait huit heures, et se leva d'un bond pour courir à la salle de bains se plonger la tête sous l'eau froide et dissiper ainsi les dernières vapeurs du sommeil. Un quart d'heure après, elle descendait dans la chambre de Lady Chalgrove pour l'aider à s'habiller.

Elles s'installèrent dans la salle à manger pour prendre un copieux breakfast; Trevor était certainement encore en train de dormir car il était rentré très tard. Sa tante l'avait entendu ouvrir la porte d'entrée vers trois heures du matin.

— Parlez-moi des obligations ennuyeuses qui vous retiennent si tard dans la nuit, plaisanta la vieille dame. Ah! quel séducteur! A peine rentré de voyage, il fait une conquête. En voilà un que les années n'ont pas assagi.

Il y avait dans sa voix la tendresse admirative d'une mère. On sentait que Lady Chalgrove était fière des prouesses de son neveu.

Clarisse parvint à faire bonne figure et à garder le sourire, mais les paroles de Lady Chalgrove lui faisaient mal. Celle-ci, inconsciente, continuait à chanter les louanges de son « mauvais garnement ».

— Quand il était étudiant à Oxford et qu'il habitait chez moi, c'était un défilé : des blondes, des brunes, des grosses, des maigres. Toutes les étudiantes n'avaient d'yeux que pour lui, le téléphone sonnait sans arrêt... Ah! j'en ai consolé plus d'une!

Elle éclata d'un bon rire.

Clarisse beurrait nerveusement son toast, les yeux baissés. Si au moins les battements de son cœur pouvaient ralentir! Que pouvait-elle faire pour se calmer? Le souvenir de son étreinte illusoire était trop vif, son corps était encore parcouru de bouffées chaudes. Elle enrageait de plus en plus au fur et à mesure que la vieille dame lui assenait les succès de son neveu. Tout son être se révoltait, son orgueil était atteint, elle s'en voulait mortellement d'éprouver un trouble pour ce vil séducteur.

— C'est à peine si elles lui laissaient la fatigue de se baisser pour ramasser les cœurs, entendait-elle, comme dans le lointain.

— ... Il ne comptait plus les portraits, les mèches de cheveux, elles gisaient pêle-mêle dans sa mémoire, comme dans ses tiroirs...

« Sourire, plaisanter, ne pas montrer mon affolement, rester calme, et surtout écouter tout ce qu'elle dit pour le retenir comme une leçon : Trevor Mostyn n'est qu'un don Juan à la petite semaine. Il ne vaut pas un regard, pas un battement de cils ! Il ne mérite que mépris », se répétait Clarisse, d'un air buté.

— En fait, je ne l'ai jamais connu vraiment amoureux, ou plutôt je l'ai vu cent fois amoureux, fit la vieille dame après un grand éclat de rire.

Clarisse, au supplice, proposa tout d'un coup :

— Si nous partions nous promener, profiter de ce beau soleil d'automne ? demanda-t-elle d'une voix blanche.

— Allons-y, fit la romancière avec entrain. Courons trouver l'inspiration au royaume des morts et du rêve.

Une heure après, Lady Chalgrove, poussée par Clarisse, se recueillait sur la tombe de la belle Lady Rosamund, à Godstow, au milieu de vieilles pierres tombales qui chaviraient sous le poids des ans dans l'herbe grasse et des fleurs qui poussaient librement.

La tête légèrement renversée en arrière, les yeux mi-clos, la vieille dame savourait avec délices le calme de cette nécropole.

— Quelle douceur ! Quel bien-être ! Ces tombes moussues, ce ciel brumeux d'automne, et au-dessus de ces fantômes, la bataille enragée des nuages et des ormeaux agités par le vent. Cela vous secoue les nerfs et l'imagination.

Elle se redressa et sortit de son sac un papier et un crayon.

— Allons, au travail. Rosamund, ma belle, inspirez-moi, inspirez-moi, emplissez ma tête d'idées fécondes, soufflez-moi de belles histoires, des contes à dormir debout, d'horribles drames d'amour et de mort...

Chaque matin, cette macabre séance se reproduisait. Le but de chaque promenade était cet endroit lugubre que beaucoup de gens auraient fui.

« Quelle drôle de femme, tout de même, cette Lady Chalgrove », se dit Clarisse. La jeune fille savait que les Anglais étaient tous des originaux, mais vraiment, celle-là gagnait la palme ! Ne pouvait-elle trouver des idées ailleurs que dans cette sorte d'endroit ? Clarisse n'avait pas encore osé poser la question à sa vieille amie, et celle-ci n'avait pas jugé bon de lui fournir des explications sur son étrange conduite. Décidément, jamais elle ne pourrait s'empêcher d'être surprise des excentricités de la vieille dame. Cette dernière croyait-elle à toutes ces étranges mises en scène et à tous ces romans farfelus ? Clarisse ne l'aurait pas juré.

Une chose était certaine. Ces visites à Fair Lady Rosamund réussissaient à merveille à la romancière. Après quelques minutes de recueillement, elle se mit à écrire à toute vitesse, comme si, effectivement elle se contentait de copier ce que la belle morte lui dictait.

Elle poussa plusieurs exclamations et Clarisse, qui, assise sur un banc de pierre, derrière elle, révisait son cours de chinois, entendit des : « Oh ! merveilleux, quelle excellente idée ! Vraiment, je n'y aurais jamais pensé... Oui, bien sûr, celui-là, il faut le tuer, comment peut-il mourir : égorgé, étranglé ?... Voyons un peu... »

Fébrile, la vieille dame griffonna de nouveau à toute allure, en tirant la langue, comme une élève appliquée.

Lady Chalgrove était particulièrement en forme, ce jour-là. L'exaltation faisait briller ses yeux et son crayon courait plus vite que jamais sur le papier. Clarisse, énervée par ses rêves, les étranges prédictions de la cartomancienne et l'atmosphère d'irréalité qui se dégageait de toute chose depuis l'arrivée de Trevor à Oxford, observait la vieille dame sous un jour différent.

« On ne peut pas être plus gentil, plus drôle, ni plus

sympathique qu'elle, mais pourtant, elle est assez inquiétante... Ce perpétuel besoin que quelque chose arrive, voire un drame, c'est une sorte de maladie mentale, certainement. » Ce goût du crime était-il aussi innocent qu'elle le laissait paraître ?

Elle songea en frissonnant : « Serait-elle capable d'en accomplir un elle-même juste pour se distraire ? »

Elle s'en voulut de cette idée monstrueuse et se replongea dans son livre de grammaire chinoise en s'efforçant de ne penser à rien d'autre qu'au travail. Etre la première de son cours, se faire remarquer par ses professeurs, et passer ses examens haut la main. Telle était l'unique préoccupation de Clarisse, ou, plutôt, telle aurait dû être son unique préoccupation, car elle avait du mal à se concentrer sur ce qu'elle faisait. Elle revoyait le visage moqueur de Trevor tandis qu'il lui déclarait : « Je prends note des résolutions de Mademoiselle de Lignancourt. Dans quelques mois, nous verrons si elles tiennent encore. A Oxford, l'amour est partout... on n'y échappe pas... »

Eh bien, elle y échapperait, et sans aucune peine... L'après-midi, elle resta trois heures à la bibliothèque après son cours, et travailla comme jamais de sa vie elle n'avait travaillé. Elle était fière et contente d'elle. Ses yeux se brouillaient à force de lire ces caractères encore difficilement compréhensibles pour elle. Elle avait la migraine, une sorte de vertige s'empara d'elle lorsqu'elle se leva.

Il était cinq heures et demie, et rien ne l'obligeait à rentrer dans l'austère demeure de l'infirme avant une heure. Elle décida donc d'aller rejoindre son nouvel ami Ambrose Rigby à l'*Osiris*.

Il y était en effet, et sirotait comme la veille cet abominable café au malt qui soulevait le cœur de Clarisse. Elle s'amusa de le voir se lever comme un diable sort d'une boîte quand il l'aperçut.

— Je n'espérais plus vous voir, balbutia-t-il, et j'allais partir.

Galamment, il aida Clarisse à enlever sa veste, et la jeune fille remarqua qu'il s'était mis en frais. Sous la longue toge noire qui descendait en plis harmonieux jusqu'à ses mollets, il portait un costume de tweed sombre, une chemise blanche impeccable, et une cravate aux couleurs de son collège.

— Vous avez l'air d'un parfait gentleman d'Oxford, plaisanta Clarisse.

— Je vous remercie infiniment, dit-il en s'inclinant devant elle. C'est un grand compliment que vous me faites là. Pour reprendre le mot de Gladstone, « Dire d'un homme qu'il est un homme d'Oxford est le plus grand compliment qu'on puisse faire à un être vivant ».

Il paraissait moins gauche que la veille, et ses cheveux ondulaient joliment autour de son visage distingué. Il portait aujourd'hui de grosses lunettes d'étudiant sérieux qui lui allaient bien et le vieillissaient un peu. Clarisse, qui n'arrivait pas à s'habituer à sa manière de parler, osa lui en faire la remarque. Il éclata de rire :

— Ne vous moquez pas de mon accent. Après quelques années passées ici, il est inévitable qu'on l'attrape.

— Qu'est-ce au juste que l'accent d'Oxford ?

Il leva les yeux au ciel, et fronça les sourcils comme s'il réfléchissait intensément...

— Cela défie toute définition : ce n'est pas, comme vous autres Français le pensez, une sorte d'anglais qui est parlé dans les quarante kilomètres qui entourent la ville. En fait, ce n'est pas vraiment un accent. C'est une manière de pauser entre les mots, de s'arrêter dans son discours, non pas à la fin d'une phrase, car je prendrais le risque d'être interrompu, mais au milieu de la phrase. Personne à ce moment-là ne sera assez mal élevé pour me couper la parole.

— C'est fin.

— Oui, très. Et je vais vous livrer la recette pour parfaire votre éducation.

— Je vous écoute...

— Donc, vous vous arrêtez au milieu de votre phrase, vous réfléchissez à ce que vous allez dire puis sautez les virgules et les points, commencez la phrase suivante sans un moment d'arrêt, et surtout sans jamais retenir votre souffle. Exercez-vous, et vous serez capable de parler pendant des heures sans que personne intervienne. Mais ce n'est pas tout : l'accent d'Oxford, c'est aussi une manière de redéfinir ce qu'une personne vient de dire.

La leçon de diction dura une heure, au bout de laquelle Clarisse, bonne élève, avait fait des progrès remarquables.

— Encore cinq leçons, et, douée comme vous l'êtes, lui dit Ambrose, votre discours sera brillant, confus et incompréhensible pour quiconque n'a pas vécu cinq ans dans cette ville.

Clarisse éclata de rire et se leva pour partir. Dans le feu de la conversation, le temps avait passé vite, et elle avait complètement oublié l'heure :

— Je dois filer, dit-elle en jetant un coup d'œil affolé à sa montre.

A ce moment-là, comme s'il venait subitement de se rappeler quelque chose d'important, Ambrose sortit un carton de sa poche :

— J'ai reçu une invitation pour le bal des anciens élèves de Balliol, après-demain. Croyez-vous... Enfin, je veux dire... cela me ferait grand plaisir si vous consentiez à m'y accompagner.

De nouveau il avait l'air d'un enfant timide.

— Un bal ? Mais je n'ai pas de robe !

— Quelle importance ! Vous serez la plus belle, de toute façon. Et c'est un bal costumé. N'importe quel vieux rideau fera l'affaire.

— Il faudra que je demande la permission à Lady Chalgrove.

Ambrose Rigby parut surpris.

— Vous... vous ha... habitez Belmount House, chez cette vieille dame ?

— Comment, vous la connaissez ?

— Oui, un peu. C'est une figure, à Oxford. Tout le monde a lu ses livres, et...

Il marqua un temps d'arrêt.

— Tout le monde a entendu parler de son neveu, l'anthropologue, comment s'appelle-t-il déjà ?

Ce fut au tour de Clarisse à marquer sa surprise :

— Vous le connaissez aussi ?

— Il m'est arrivé de le rencontrer. Un homme remarquable et dont les travaux sur les Dan de Côte-d'Ivoire sont tout à fait extraordinaires. Si je ne me trompe, il vit en Afrique, n'est-ce pas ?

— Il y vivait. Il est rentré depuis deux jours pour donner une série de conférences.

— Ah, fit Ambrose, je l'ignorais.

Malgré son sang-froid britannique, il fut incapable de cacher sa déception, et murmura d'une voix à peine audible :

— J'espère que ma sœur n'apprendra pas son retour.

Clarisse était de plus en plus étonnée.

— Parce que votre sœur aussi...

— Il la voyait beaucoup, il y a trois ans... Beaucoup trop.

Ce sous-entendu en disait long, une fois de plus, sur le caractère de Trevor. Mais il ne disait pas tout. La conversation du matin avec Lady Chalgrove obsédait à nouveau Clarisse. Son front se rembrunit.

Elle tourna vers Ambrose un visage qu'elle voulut gai et insouciant.

— Alors, ce bal ? fit-elle d'une voix ténue.

— C'est oui ?

— Certainement. Lady Chalgrove n'est pas une geôlière.

Le visage d'Ambrose s'illumina de plaisir :

— Alors, disons que je viendrai vous chercher après-demain à vingt-deux heures.

Clarisse arriva tout essoufflée à Belmount House, dix minutes à peine avant l'heure sacro-sainte du dîner. Avant de pénétrer dans la maison, elle ouvrit la boîte aux lettres. Elle n'avait pas encore reçu de nouvelles de sa mère depuis son arrivée et cela l'inquiétait, car Mme de Lignancourt avait la plume facile.

Il n'y avait pas l'ombre d'une missive dans la boîte, mais la dernière chose au monde qu'on pouvait s'attendre à y trouver : un merle noir, mort, le cœur troué d'une épingle.

Clarisse étouffa un cri et, avec répugnance, saisit l'oiseau par une patte. Que signifiait ceci ? Pourquoi avait-on mis cet oiseau mort dans cette boîte ? Pourquoi lui avait-on percé le cœur. Qui ? Etait-ce la mauvaise plaisanterie d'un enfant sadique ?

Soudain, elle eut un pressentiment : quelqu'un lui voulait du mal et avait placé ce signe pour l'avertir.

Elle regarda la boîte aux lettres et remarqua un détail qui lui avait échappé : la serrure avait été forcée.

DEUXIÈME PARTIE

« Nous ne voyons jamais qu'un seul côté des choses
L'autre plonge en la nuit d'un mystère effrayant... »

Victor Hugo,
Les Contemplations.

5

C'est ainsi que tout bascula pour la jeune fille. Il y eut d'abord cet oiseau, ensuite, tout alla très vite...

Clarisse avait apporté le merle mort dans le salon où Lady Chalgrove écoutait son neveu qui jouait un *Prélude* de Chopin. La jeune fille avait dit d'une voix à peine audible :

— Regardez ce que j'ai trouvé dans la boîte aux lettres.

La romancière éclata de rire et décida de se servir de cette idée pour le prochain chapitre du roman qu'elle était en train d'écrire.

Elle ajouta en se tournant vers son neveu :

— Trevor, ne dirait-on pas que tu nous as rapporté de l'inattendu, de tes lointaines contrées ?

Elle était radieuse.

Trevor, lui, eut une réaction inverse. Devenu blanc, il se leva d'un bond, ignorant sa cheville meurtrie et serra le poignet de Clarisse, très fort :

— Comment cet oiseau se trouvait-il dans cette boîte aux lettres ? demanda-t-il avec précipitation.

— On a forcé la serrure, répondit la jeune fille, saisie de la violence du jeune homme. Elle eut soudain peur de son regard sombre, et de sa voix brutale.

Trevor avait l'air hors de lui.

— Je vais le jeter dans la poubelle, fit-elle, affolée.

Il intima sèchement :

— Jamais, malheureuse. Donnez-moi ça.

Il prit l'oiseau, retira d'un geste brusque l'aiguille qui

était plantée dans son cœur, et la lança violemment dans le feu. Puis il sortit précipitamment.

Cinq minutes après, il était de retour :

— Je suis allé jeter cet oiseau dans la rivière, annonça-t-il sans autre explication.

Aucune des deux femmes n'osa lui demander quoi que ce fût en voyant son visage fermé comme une porte de prison.

Pendant le dîner, il se contraignit à répondre par monosyllabes aux questions posées par sa tante, mais il laissa son assiette à moitié pleine.

Aussitôt le dîner fini, il s'excusa auprès de Lady Chalgrove et disparut dans la nuit.

A dix heures du soir, après avoir couché l'infirme, Clarisse regagna sa chambre. Etendue dans son grand lit à baldaquin, les yeux ouverts sur l'obscurité, Clarisse se demanda d'où venait ce brusque revirement chez Trevor. Connaissait-il l'expéditeur de cet oiseau noir ? Pourquoi avoir refusé que l'on jetât simplement cet oiseau à la poubelle ? Pourquoi avait-il préféré le précipiter lui-même dans les eaux de la Tamise ?

Le lendemain, le mystère s'épaissit encore. Pendant le dîner, Trevor fut plus nerveux que jamais, et Clarisse remarqua son teint particulièrement pâle et ses traits tirés. Malgré les efforts qu'il avait déployés pour être aimable et drôle, elle ne fut pas dupe. Il cherchait à cacher son inquiétude. Quand sa tante évoqua l'émotion de la veille, il mit un terme à cette conversation d'un ton bref :

— Ne plaisantez pas avec cela. Le grand Pan n'est pas mort.

— Ne me dis pas que tu crois à ces histoires !

Il regarda sa tante d'une manière étrange, et, dans un murmure, il répondit :

— Taisez-vous ; vous ne pouvez pas savoir...

Et, changeant immédiatement de sujet, il se tourna

vers Clarisse pour s'enquérir de ses progrès dans la langue chinoise.

Le reste du dîner, on entendit le bruit des fourchettes plus que le bruit des voix. Les deux femmes ressentaient, sans oser poser de questions, le malaise éprouvé par Trevor. Malaise dont elles ne pouvaient deviner la cause.

Quand le café fut desservi, Clarisse dressa soudain l'oreille. Elle aurait juré avoir entendu un appel plaintif montant de la rivière : un long hululement qui résonnait comme ces mélopées de pleureuses arabes. Etait-ce un effet de son imagination, ou tout simplement le sifflement du vent dans les branches des ormeaux ?

Elle prêta l'oreille une longue minute à ce bruit, sans pouvoir en deviner la cause.

A cet instant, Trevor déclara qu'il devait encore une fois s'absenter. Au lieu de partir brusquement, d'une manière un peu cavalière comme il avait fait les autres fois, il fit quelques allées et venues dans la pièce, en proie à une hésitation. Puis il se reprit et dit à sa tante :

— Je ne rentrerai pas tard, soyez-en sûre...

Il s'approcha de la porte en boitant plus que de coutume. Sa foulure était loin d'être guérie, et sa cheville enflait de jour en jour ; Trevor se refusait obstinément à consulter un médecin.

Après son départ, Lady Chalgrove dit simplement :

— L'attitude de mon neveu est pour le moins bizarre. Ce garçon ne tourne pas rond depuis qu'il est rentré.

Clarisse monta dans sa chambre tout de suite après avoir aidé Lady Chalgrove à se coucher, pour finir de coudre sa robe pour le bal du lendemain. La vieille dame lui avait accordé, le matin même, la permission de s'y rendre, à la condition, bien sûr, que Clarisse lui fasse ensuite un compte rendu détaillé et croustillant de cette soirée.

Vers une heure du matin elle revêtit la robe enfin prête. Le miroir lui renvoya une image parfaite.

Tout d'un coup un grand rire fusa dans la nuit.

Clarisse se précipita vers la fenêtre qu'elle ouvrit toute grande en frissonnant de peur.

Elle chercha dans l'obscurité : la lune était cachée par des nuages, on n'y voyait rien. Le jardin semblait vide, pourtant elle entendit des pas qui froissaient les feuilles mortes.

— Qui est là ? lança la jeune fille, d'une voix tremblante.

Le rire fusa à nouveau. Puis elle entendit :

— Un admirateur éperdu, touché du dard de Cupidon à cette virginale apparition.

Trevor. C'était lui. Ne l'aurait-elle pas entendu rentrer, trop absorbée par ses travaux de couture ?

— Un homme envoûté, continua Trevor, qui ne peut délivrer ses yeux du spectacle charmant qu'il contemple, à sa plus grande joie, depuis dix minutes.

Clarisse se taisait, muette de stupeur.

— Si vous ne pouvez pas me voir de là où vous êtes, moi je vous vois parfaitement bien, en technicolor, sur grand écran, aller et venir de votre table à votre miroir, à moitié dévêtue, dans un charmant déshabillé, ou dans cette toilette sublime, digne de Titania, la reine des fées, dont vous semblez être l'incarnation.

Qu'il avait dû se moquer d'elle en la voyant virevolter, devant le miroir, se sourire, se regarder sous son meilleur profil, faire enfin toutes les choses qu'une fille seule devant un miroir fait quand elle ne se sait pas regardée ! Elle aurait voulu rentrer sous terre à cet instant, disparaître, comme une souris dans le trou d'un mur. Jamais plus elle n'oserait regarder Trevor en face.

Elle aurait voulu se cacher la tête dans les mains et se boucher les oreilles pour ne pas entendre le rire moqueur de Trevor qui reprenait de plus belle, comme s'il jouissait de la confusion qu'il avait semée dans l'esprit de la jeune fille.

Après quelques secondes qui parurent une éternité à Clarisse, enfin Trevor sortit de sa cachette et vint se planter sous la fenêtre de Clarisse.

— Si j'avais une guitare, je vous ferais bien la sérénade.

— Je vous déteste. Je vous ai toujours détesté ! Jamais, vous m'entendez, jamais de ma vie, je n'ai rencontré un être aussi mal élevé, aussi indiscret, aussi rustre !

D'un bond, oubliant sa cheville foulée, Trevor sauta sur le rebord de la fenêtre. Il atterrit devant Clarisse, trop saisie pour faire un geste.

Elle n'eut que la présence d'esprit de s'écrier :

— Partez immédiatement, je ne veux plus vous voir. Toute la maison va être réveillée par votre faute, vous êtes complètement fou !

Trevor rétorqua avec un sang-froid qui la mit hors d'elle-même :

— Fou, non pas, ma belle et douce amie. Romantique. Comment, vous refuseriez l'entrée de votre chambre à un homme, blessé de surcroît, qui a risqué sa vie pour y pénétrer ?

Comme Clarisse tentait de le pousser par-dessus le bord de la fenêtre, il feignit de tomber. Elle poussa un cri.

Il ironisa :

— Ah, vous voyez, dit-il en se redressant, vous avez peur. Vous n'aimeriez pas que je m'écrase en bas, comme un paquet.

Puis, il s'avança vers la jeune fille, et, avant qu'elle ait pu faire un geste, lui saisit la taille dans ses deux mains vigoureuses :

— Lâchez-moi, lâchez-moi tout de suite, ordonna-t-elle en lançant à Trevor un regard où brillait la colère, et en essayant de se dégager.

Les deux mains se serrèrent encore plus fort sur sa taille et l'homme attira la jeune fille contre lui.

— Griffez-moi, chat sauvage, vos ongles sur ma peau seront une douce caresse.

Clarisse, hors d'elle, tentait de lacérer les mains du jeune homme, mais celui-ci, vivement, lâchant sa taille, saisit ses poignets et les emprisonna dans un étau de fer.

— Dieu, que vous êtes belle ainsi... ces yeux qui lancent des éclairs, ces cheveux en désordre, ces épaules blanches, cette mine furieuse ! Vous rendez-vous compte que c'est un supplice de dormir sous le même toit que vous, chaque soir, avec cette pensée fixée au cœur que dans une chambre voisine, vous soupirez dans votre lit. Aucun homme au monde n'y résisterait. Saint Antoine se damnerait sans l'ombre d'un remords pour une femme moitié moins belle que vous.

Il dit cela avec une énergie si vibrante, une voix si basse que Clarisse se sentit défaillir. Elle avait du mal à soutenir ce regard impudique qui la déshabillait.

Elle était incapable de penser. Quelque chose de plus brûlant que la chaleur et la colère qui l'oppressaient l'empêcha de réagir. Le visage de Trevor effleurait presque ses cheveux et le souffle viril sur son front la retenait de s'éloigner. Pourtant, il le fallait. Il fallait qu'elle se réveille, qu'elle se débatte, qu'elle chasse cet odieux personnage, qu'elle ranime sa fureur pour trouver la force de le repousser. Mais était-elle seulement en colère ? Etait-ce de la colère, ce sentiment, ou plutôt ces sensations violentes qui la tenaient, pâle, immobile, consciente d'avoir les épaules découvertes et le décolleté qui bâillait dangereusement.

Elle essaya d'adopter un ton menaçant, quand elle murmura :

— Lâchez-moi, ou c'est moi qui vais crier.

— Ne me demandez pas cela. Je ne peux pas, dit-il d'une voix basse, essoufflée. J'ai tellement envie de vous...

La gorge de Clarisse se serra en entendant ces paroles. Elle voulut dire quelque chose, mais elle ne trouva pas ses mots. Cet homme la brutalisait et marquait un mépris pour sa personne, qu'elle ne pouvait accepter.

Quelle différence entre les effusions respectueuses et timides du jeune Henri de Maurel pour lequel Clarisse avait eu un petit coup au cœur, l'été d'avant, et l'étreinte virile et volontaire de cet homme trop grand, trop large d'épaules, et trop dur.

— Partez, ordonna-t-elle, alors que les lèvres de l'homme s'approchaient dangereusement des siennes.

Il avait lâché un de ses poignets et sa main, maintenant, se promenait dans les cheveux épars de la jeune fille, enfermait son menton, levait son beau visage vers le sien.

Sa voix s'était faite plus douce, presque tendre :

— Si vous saviez comme vous me plaisez...

Comme elle se débattait pour toute réponse, il lâcha Clarisse et alla s'effondrer sur le canapé, près de la fenêtre. La jeune fille éprouva un sentiment d'abandon...

Elle avait de plus en plus de mal à ranimer cette colère qui était tombée et sur laquelle elle comptait pour avoir la force d'être désagréable et froide. Mais, à le voir, en face d'elle, à plusieurs mètres, — était-ce par dépit, ou parce qu'elle avait repris son souffle — elle put enfin dire calmement :

— A combien de femmes avez-vous dit que vous aviez envie d'elles ? J'imagine que vous-même seriez incapable de répondre.

Elle s'était souvenu des propos de Lady Chalgrove et continua, le regard froid comme de l'acier braqué sur Trevor :

— Les mèches, les lettres, les serments d'amour, les promesses d'éternité. Tout cela n'est plus dans votre souvenir qu'un vaste mélo, une superposition d'images et de souvenirs. Eh bien, moi, monsieur, je trouve ces manières tout à fait déplaisantes, déplacées, et... aussi peu flatteuses pour celui qui les emploie que pour celles qui en sont l'objet.

Elle avait mis dans ces derniers mots tout le mépris du monde.

Elle le vit serrer les mâchoires.

— Si vous vouliez me séduire, continua-t-elle, remontée maintenant, vous ne pourriez pas vous y prendre plus mal. Savez-vous quel effet vous me faites ?

— Je vais le savoir.

— Ah, ça, oui. Eh bien, vous me faites l'effet d'un don Juan de banlieue, d'un Roméo de bandes dessinées, d'un jouisseur à la petite semaine. Le petit plaisir d'un jour, le petit bonheur d'une nuit. Hop, vous arrivez chez moi, de la manière la moins originale...

Elle leva le menton en direction de la fenêtre et poursuivit :

— Cela fait mille ans que les hommes entrent chez les femmes de cette manière. L'échelle de corde ne séduit plus personne. Il faut trouver d'autres moyens, mon cher. On peut entrer par la porte, par exemple, dit-elle, non sans ironie. Vous me sautez dessus comme le dernier cow-boy gominé dans le plus mauvais western produit par Cinecittà, et, comble du ridicule et du vulgaire, n'ayons pas peur de la vérité, vous me soufflez dans le cou, et vous ne trouvez rien d'autre à dire, pour me convaincre de tomber dans vos bras, que des phrases éculées, stupides, redites elles aussi dans toutes les bandes dessinées publiées dans tous les pays, et que tous les hommes du monde à court d'imagination et en mal de tendresse disent à la première midinette venue. Bravo, mon cher, bravo. Ce n'est pas la peine d'être beau garçon, intelligent, et d'avoir fait vos études à Oxford.

Après quelques secondes de silence, elle l'imita méchamment :

— J'ai envie de vous, j'ai envie de vous. Et puis quoi encore ?

Elle se planta devant lui :

— J'imagine que vous avez tout un répertoire de phrases toutes faites : je suis fou de vous, vous me faites perdre la tête, votre beauté me tue, vous m'affolez, ma raison s'égare, par pitié écoutez-moi, si vous saviez comme je vous aime...

Elle lui montra la porte du doigt et jeta soudain :

— Par ici, s'il vous plaît ! Et laissez-moi en paix finir

70

la robe que je couds pour demain, pour aller au bal, avec un jeune homme beau, distingué, intelligent, discret, bien élevé, drôle et à qui il ne viendrait jamais à l'idée d'épier une femme à sa toilette.

— Fichtre, fit Trevor. Quelle harangue! Vous en avez fait fuir beaucoup, de cette manière, ma douce tourterelle?

— Jamais je n'ai eu à me défendre contre quelqu'un comme vous. Et j'espère bien que ces scènes ne se renouvelleront pas.

Comme rien n'annonçait que Trevor avait l'intention de partir, la jeune fille se dirigea vers le miroir, et, faisant semblant d'ignorer sa présence, entreprit d'arranger quelques détails de son costume. Trevor la suivait du regard, balançant la jambe, le visage impénétrable.

— Belle, spirituelle et violente... quel trésor! Ils en ont de la chance ceux qui danseront avec vous demain! Serait-ce par hasard le bal de Balliol College? railla-t-il.

— Oui, répondit-elle sans se retourner.

— Tiens, tiens, fit-il. Quel hasard...

Puis il se leva, et, dans une pirouette se retrouva derrière Clarisse qu'il saisit aux épaules. Le miroir renvoya à la jeune fille le visage de Trevor penché sur son cou, son visage à elle qui s'empourprait, et ses épaules blanches, dénudées, sur lesquelles, sans tenir compte le moins du monde des sarcasmes de la jeune fille, les mains de Trevor s'attardaient, dans une lente et chaude caresse.

— Bonsoir, dit-il dans un souffle rauque. Je ne vous présenterai jamais mes excuses pour ma conduite de ce soir. J'y ai pris trop de plaisir. Et puis, après tout, c'est votre faute, les volets ne sont-ils pas faits, la nuit, pour être fermés?

Elle frissonna quand il se sépara d'elle. Elle resta debout, immobile et muette, devant le miroir.

— Et... fit-il, avant de refermer sur lui la porte de la chambre, c'est vrai que vous me plaisez infiniment...

Clarisse s'était retenue pour ne pas crier de rage et d'humiliation quand elle s'était retrouvée seule, effondrée sur son lit, la tête enfouie dans ses oreillers. Elle aurait voulu déchirer sa robe, fuir. Son cœur battait à tout rompre. Elle était partagée entre mille sentiments contradictoires, où se mélangeaient le plaisir, la haine, la rancune, la colère, et le besoin formidable de sentir encore, de sentir toujours la pression de la main de l'homme sur son épaule, le souffle sur son front, et d'entendre ces mots qu'elle avait si violemment critiqués, dont elle s'était moquée :

— J'ai envie de vous, j'ai envie de vous, vous me plaisez infiniment.

6

Le lendemain, à dix heures du soir, Clarisse et Ambrose Rigby gravissaient les marches de pierre qui menaient à la salle de réception de Balliol College d'où sortait le vacarme assourdissant d'un orchestre.

Il y eut quelques murmures admiratifs et des applaudissements discrets quand le couple s'encadra dans l'embrasure de la porte, et Clarisse sourit sous le loup de soie grise qui cachait ses beaux yeux au regard des autres. Elle était satisfaite de son petit succès.

Elle traversa la salle de sa démarche ondulante, au bras de son chevalier servant, portée par les regards émerveillés et par la conscience qu'elle avait d'être belle. Et c'est vrai qu'elle était d'une beauté presque irréelle. Il y avait, dans l'attrait qu'elle exerçait au premier regard, quelque chose d'éthéré et de supra-terrestre.

Là, au milieu du déploiement de couleurs, de masques et de pierrots satinés et scintillants, du velours des robes, sa toilette et sa prestance tranchaient et étonnaient par leur simplicité : le fourreau de jersey blanc qu'elle avait hâtivement mis au point la veille, sous le regard moqueur de Trevor, laissait deviner son corps superbe. A partir des genoux la robe s'évasait en corolle. Le décolleté qui découvrait ses épaules et la naissance de sa poitrine était bordé de strass qui scintillait d'un éclat glacé sur l'étoffe blanche. Ses cheveux, qu'elle avait bouclés et qui descendaient en grosses vagues jusqu'à sa taille, étaient piqués de myosotis et de jasmin en soie fine, trésors dénichés dans les tiroirs du cabinet de toilette de Lady Chalgrove. La vieille dame, trop contente de pouvoir ajouter sa touche au déguisement de Clarisse, lui avait aussi prêté un voile de gaze, à peine teinté de rose, que la jeune fille avait accroché dans ses cheveux par une épingle à tête de perle. Il tombait jusqu'aux pieds, l'enveloppant dans une sorte de brouillard flou, qu'elle mettait, en marchant, entre elle et les autres, et qui contribuait à lui donner cette impression d'irréalité.

— Vous ressemblez à la Béatrice de Dante qui accueillait le poète au seuil du Paradis pour intercéder en sa faveur et l'aider à révéler la part divine de lui-même, lui glissa à l'oreille Ambrose, fier de marcher avec une aussi belle femme à son bras.

Lui aussi s'était mis en frais. Ce jeune homme studieux avait trouvé le temps d'improviser un costume, au hasard des tiroirs. Ce déguisement, fait de bric et de broc, n'était cependant pas dépourvu d'originalité. Son grand burnous arabe s'ouvrait sur un camail de bure sombre. Et, tandis que la jambe droite était gainée d'un bas de femme en nylon rose vif, sa jambe gauche portait une chaussette d'homme, mauve, à semis de violettes, dans le plus mauvais goût anglais. Il avait passé son visage à la craie et le loup noir découvrait des lèvres et un front d'une blancheur de suaire.

— Quel mystérieux personnage incarnez-vous ? lui avait demandé Clarisse, quand il était venu la chercher, une demi-heure plus tôt, à la grille de Belmount House.

— Un indécis, avait-il répondu en riant. Un homme incapable de faire un choix. Voyez vous-même : au début, j'avais pensé être un Touareg, puis au fur et à mesure que je dénichais des hardes, je changeais d'avis. En trouvant ce camail à l'Armée du Salut, j'ai voulu être un moine, puis cette chaussette à fleurs m'a donné l'idée d'être un clown. Alors, voilà, je suis un peu tout. Y compris une femme de petite vertu.

Il montra sa jambe gainée de nylon :

— N'en tirez pas des conclusions hâtives. Ce costume hybride n'est en aucun cas révélateur de ma personnalité profonde !

— Tant mieux, avait plaisanté Clarisse.

— Et je suis tout à fait capable de faire un choix, dans d'autres domaines que le domaine vestimentaire.

L'orchestre attaquait les premiers accords des *Bonbons de Vienne*, et Ambrose s'inclina devant la jeune fille pour l'inviter à danser. Elle accepta de bonne grâce, car la valse était pour elle la plus belle danse du monde, et elle se demanda avec inquiétude si Ambrose saurait la faire virevolter en rythme. Miracle ! Il savait, malgré ses airs gauches et ses jambes trop longues, et il entraîna sa partenaire avec une grâce à la fois légère et noble, dans un tourbillon rapide : dix tours à droite, trois tours à gauche.

Clarisse, la tête rejetée en arrière, une main posée sur l'épaule de son danseur, l'autre relevant la corolle de sa longue robe, se laissait emporter par l'ivresse de la musique et l'influence sensuelle de la danse, sans penser à rien, la tête remplie de joie et de sons mélodieux.

Ils tournaient autour de la salle, sans rencontrer d'obstacle car tout le monde s'écartait devant eux. Ils passaient, les yeux dans les yeux, les bras tendus, devant les masques et les dominos qui s'étaient arrêtés pour les voir danser. Le long burnous noir et la gaze vaporeuse formaient un étrange contraste.

« Il y a des moments, pensait-elle, où l'on est simplement heureux d'être en vie et en bonne santé, où l'on profite totalement du moment présent, sans avoir envie ni besoin de rien d'autre. »

Elle oubliait tout dans le tourbillon de cette danse, la fâcheuse scène de la veille avec Trevor, son humiliation, les vagues inquiétudes qu'elle avait ressenties à propos des incidents des jours passés, et, entre deux danses, elle regardait avec amusement les gens qui évoluaient autour d'elle.

— N'est-ce pas étrange, Ambrose, cet impérieux besoin que les gens ressentent de se grimer, parfois, de se déguiser ? On dirait qu'ils sont contents de changer leur identité, de cesser un instant d'être ce qu'ils sont.

D'un mouvement de tête, elle désigna à Ambrose une curieuse silhouette de pénitent espagnol, dont la tête était cachée par une cagoule pointue, trouée simplement à la place des yeux, avec juste une minuscule fente pour la bouche.

— En voilà un qui semble vouloir porter tous les péchés du monde. Il n'a pas seulement le costume du pénitent, il en a l'allure. Regardez comme il marche, courbé, presque cassé en deux, portant sur ses épaules Dieu sait quel châtiment, qu'il croit très probablement avoir mérité.

— Peut-être est-il venu faire une confession publique, suggéra Ambrose. Et, regardez donc celui-ci, ou celle-ci, je ne sais pas, là, à gauche du buffet.

Le personnage désigné tenait, lui aussi, à ne pas être découvert. Un bas de soie écrasait son visage, déformant tous ses traits. Son collant noir était brodé d'un énorme crapaud de satin rouge qui s'étalait sur sa poitrine et des serpents dorés couraient le long de ses jambes.

Il se dandinait, tout seul, en brandissant un couteau à lame recourbée qu'il faisait jouer au-dessus de sa tête.

Quels instincts, quels appétits, quelles espérances se cachaient derrière ce costume indéchiffrable ? Voulait-il représenter un criminel, un sadique, une gorgone, le Vampire de Dusseldorf, se demandait Clarisse, fascinée et songeuse devant le sexe ambigu de ce déguisement.

Ambrose éclata de rire :

— Et dire que, derrière tous ces cartonnages et ces faux mentons, se cache l'élite de l'Angleterre, nos futurs ministres, un prix Nobel, les plus grands professeurs d'Europe, les plus éminents scientifiques...

— Les plus brillants économistes, plaisanta Clarisse en tirant sur la jarretière en dentelle d'Ambrose.

— Nous autres Anglais, nous n'avons jamais eu peur du qu'en dira-t-on, fit Ambrose, le plus sérieusement du monde. Et, poursuivit-il, vous le croirez ou pas, mais le type qui vient de monter sur l'estrade est le plus éminent entomologiste d'Oxford.

Clarisse regarda l'individu qui venait de saisir le micro : il était long comme un jour sans pain, portait un habit de soie violette et la couleur rouge de ses cheveux n'était pas un don de la nature. Elle éclata de rire :

— Lui, professeur ?

— Eh oui. Pourquoi pas ?

— Et quel est son nom d'artiste ?

— Long Jack Maldry. C'est une star, ici.

Clarisse s'amusait comme une folle. Quel pays, quelles personnalités bizarres, quelle fantaisie ! Elle ne s'étonnait plus qu'un tel endroit ait inspiré Lewis Carroll et transformé ses délires euclidiens en *Alice au Pays des Merveilles*. Tout semblait être permis : les folies, les rêves, la fantaisie. La déraison était à l'honneur.

Long Jack, l'entomologiste, glapissait d'une voix de haute-contre sa version très personnelle d'un succès d'Elvis Presley : *Heartbreak Hotel,* et provoquait le déchaînement parmi les masques qui se trémoussaient sur des rythmes différents, comme si tout d'un coup la musique leur était montée à la tête, les grisant de folie. C'était une espèce de danse de sylphes dans une forêt magique.

Tout d'un coup, au milieu des loups de satin, des faux nez, des fausses barbes et des cagoules de moines apparut une créature, plus extraordinaire que toutes celles qui étaient là : c'était une femme qui venait de faire son entrée.

Comme pour saluer son arrivée, Long Jack émit un long sifflement au micro, et quelques couples s'arrêtèrent de danser.

— On dirait une idole africaine, murmura Ambrose d'une voix basse.

— En effet, dit Clarisse.

La nouvelle arrivante impressionnait par sa taille, nettement supérieure à la moyenne et par sa maigreur élégante, une maigreur spectrale qui la faisait ressembler à un beau fantôme.

— Bigre, souffla Ambrose à l'oreille de son amie. Elle a dû être belle du temps de son vivant.

— Elle l'est encore.

Son corps de liane était moulé dans un fourreau rouge vif qui mettait en valeur ses épaules et son décolleté couleur d'ambre foncé. Elle n'avait pas cherché à se déguiser et le loup minuscule qui cachait à peine le haut de son visage laissait à découvert une bouche un peu trop grande, qui s'ouvrait, très rouge, sur de petites dents serrées et brillantes, et un nez fin remarquablement droit, aux narines palpitantes. Des anneaux d'or pendaient à ses oreilles et six colliers superposés lui enserraient le cou, donnant au port de sa tête une majesté un peu hautaine. Un diadème doré ceignait ses cheveux coiffés de centaines de petites nattes régulières et huilées.

— Voilà une beauté d'exportation, dit en riant Ambrose une fois qu'il fut revenu de sa surprise.

Mais Clarisse n'écoutait plus et son regard s'était détaché de la femme pour se fixer sur l'homme qui venait d'entrer.

Le cœur de la jeune fille se mit à battre la chamade. Que faisait Trevor dans ce bal ? Pourquoi ne lui avait-il pas dit qu'il y serait ?

Il n'avait pas jugé bon de se déguiser, et avait simplement revêtu un smoking de soie bleu nuit, coupé chez le meilleur faiseur, qui affinait sa silhouette tout en mettant en valeur sa carrure d'athlète.

Il avait l'air de connaître tout le monde et allait d'un groupe à l'autre, baisant les mains des femmes, ou les embrassant, saluant les hommes, riant fort, sûr de lui, mondain, aussi à l'aise au milieu de cette foule bariolée qu'il l'était à Belmount House.

Clarisse ressentit une violente et brutale tristesse. Toute sa joie tomba d'un coup et, un instant, elle en voulut à Ambrose d'être assis à côté d'elle. Elle essayait en vain d'écouter ce qu'il disait, mais elle souriait et hochait la tête comme une automate.

Oh! Pourquoi l'autre était-il ici? Pourquoi regardait-il les femmes avec ses yeux gris aux reflets chauds? Chaque regard qu'il lançait à une inconnue était comme un coup de vrille dans son cœur. Elle eût voulu partir tout de suite, inventer une bonne raison pour qu'Ambrose la raccompagnât chez elle.

— Venez danser, fit celui-ci gaiement.

Elle se leva de sa chaise comme une somnambule. Elle n'avait plus du tout envie de danser. Ses pieds étaient de plomb. Trevor lui gâchait la soirée, et le souvenir de la scène de la veille la remplissait de fureur et de honte. Elle entendait le rire moqueur et les propos troublants du jeune homme. Elle revoyait son image dans la glace et elle sentait ses lèvres sur son cou.

« Il faut oublier tout cela, songea-t-elle. Allons, sourions, suivons le rythme, faisons croire à Ambrose que je ne me suis jamais autant amusée. Plaisantons. Soyons gaie. »

Mais elle avait du mal à détacher ses yeux du séducteur qui, maintenant, comble de l'horreur, avait saisi la mystérieuse idole africaine par la taille, du même geste conquérant avec lequel il l'avait serrée, elle, la veille, et il entraînait l'étrangère dans la danse.

« Il danse avec elle comme il dansait avec moi, dans mon rêve, se disait Clarisse, prise de malaise et de jalousie. Qui est-elle? Il semble la connaître parfaitement. D'où sort-elle? Comme elle est belle malgré sa maigreur. »

Maintenant qu'elle avait relevé son masque, Clarisse ne voyait plus que ses yeux, d'un émail trop blanc, avec des prunelles trop brillantes et trop sombres, dans ce visage immobile, taillé dans l'ambre doré.

« Est-il en train de lui dire ce qu'il m'a dit, hier soir? » pensa-t-elle, la gorge serrée.

Les mots revenaient, lancinants, comme des coups de poignard :

— Je vous veux, je vous veux de toutes mes forces. Vous me plaisez infiniment.

« Il est évident qu'elle lui plaît, sans cela il ne lui serrerait pas la taille ainsi, et ne la presserait pas contre lui. Il ne lui parlerait pas à l'oreille, comme il le fait maintenant, en se moquant de la musique et du rythme à suivre. La musique est un prétexte, et rien que cela », se disait-elle sans pouvoir détourner son regard du couple.

Tout d'un coup, Clarisse vit la femme se détacher de Trevor, lentement, comme un poulpe qui libère sa proie, pour danser seule, devant lui, sur un air de reggae que Long John venait d'entonner.

La tête droite, les épaules immobiles, elle bougeait des hanches seulement, dans une ondulation du bas de son corps qui se tordait comme un serpent ; ses yeux étaient rivés sur ceux de Trevor, des yeux magnétiques qui l'appelaient, le retenaient, le dévoraient. Un mince sourire soulevait juste les commissures de ses lèvres à peine entrouvertes d'où sortait un souffle venu des profondeurs de sa poitrine qui se soulevait voluptueusement.

Ses longues mains brunes, plaquées sur ses cuisses, s'enfonçaient dans la soie de la robe. L'inconnue était à ce moment la séduction même, la tentation, la fatalité, et Trevor, en face d'elle, les yeux fous, gauche, victime à son tour, victime consentante, la regardait, fasciné, essayant de se rapprocher d'elle au fur et à mesure qu'elle s'éloignait, dans un déhanchement irrésistible. C'était la danse de Salomé, la danse éternelle de la femme devant l'homme. C'en était trop pour la jeune fille.

— Je suis fatiguée, déclara soudain Clarisse à son danseur. Venez. Nous allons boire un verre, ordonna-t-elle d'une voix blanche.

Clarisse avait préféré battre en retraite. C'était la seule chose à faire. Pour la première fois de sa vie, la jeune fille comprenait qu'elle ne possédait pas le magnétisme mêlé de sensualité de l'étrangère et que ce qu'elle croyait être des mouvements gracieux n'étaient que des gestes plaqués, appris, à côté de la grâce native et instinctive de la belle métisse. Elle ne pouvait lutter sur ce terrain.

— Clarisse, où êtes-vous ? Je vais vous présenter à mes amis.

Elle sursauta. Ambrose, qui l'avait précédée au buffet, y avait rejoint deux pierrots lunaires en costumes blancs semés de rondelles noires.

— Peter Tucker, professeur à l'université de Saint John, et Mary Tucker, sa femme.

— Enchantée, répondit-elle en avalant sa salive.

— Clarisse de Lignancourt, qui fait des études de chinois à Saint Anthony's College.

Clarisse serra les mains qu'on ne lui tendait pas, accepta machinalement le verre qu'on lui offrit, et décida de se montrer civile et courtoise et de plaire. Ce n'était pas vraiment difficile, mais cela exigeait qu'elle prît sur elle et qu'elle oublie Trevor et la belle métisse. Tant pis ! Il fallait essayer.

Elle but coup sur coup deux verres d'un vin mousseux inquiétant, fit rire Ambrose et ses amis avec des réparties drôles, soufflées par la fureur et les sentiments violents qu'elle ressentait et se pendit aux bras du jeune homme en l'assassinant d'œillades perfides. Et, quand l'orchestre joua une valse, elle accepta de danser avec Peter Tucker qui avait succombé à son numéro de charme mais, aussitôt la danse terminée, elle courut dans le jardin pour être seule, enfin, avec ses pensées, et pour se calmer.

L'air frais, cette extraordinaire odeur d'herbe mouillée, la vision, dont on ne pouvait se lasser, des flèches des collèges illuminées, perçant le ciel parsemé d'étoiles, lui firent du bien, et apaisèrent les battements de son cœur. Qu'elle était bête de se mettre dans des états pareils pour aussi peu ! Pourquoi, au juste ? Parce qu'une belle métisse dansait dans les bras de Trevor ? Pourquoi ressentait-elle ce sentiment de trahison, d'abandon ? Trevor ne lui était rien. Il ne lui avait rien promis. Il l'avait juste embrassée dans le cou et elle l'avait chassé :

« Si je l'ai chassé, se raisonnait-elle, c'est parce que je ne l'aime pas. Parce que je le méprise... Un homme qui entre chez vous de force, et par la fenêtre, comme n'importe quel dadais de dix-huit ans. C'est grotesque ! Quant à son ironie, elle est douteuse. »

Elle arpentait le jardin du collège à pas rapides, perdue dans des pensées qu'elle jugeait indignes, essayant de s'intéresser à ce qu'elle voyait, aux couples étranges qui passaient près d'elle, enlacés, heureux et insouciants, amoureux. Et, pour la première fois, elle fut consciente de son ombre solitaire qui se profilait sur les murs qui entouraient le collège.

Ses pas crissaient sur le gravier de l'allée : « Des pas de femme seule », pensa-t-elle. Pour la première fois, de sa vie, elle ressentit la solitude, un vide effroyable dans son cœur.

Et là, sous les étoiles, fragile silhouette blanche, elle laissa sa mélancolie s'exhaler dans un douloureux soupir.

En reprenant son souffle, elle sentit une forte odeur de havane. Son ombre ne se profilait plus seule sur les murs. Ses pas ne crissaient plus seuls sur le gravier.

— Alors, douce enfant, nous rêvons sous la lune ?

Elle fit volte-face et rencontra les yeux gris et moqueurs de Trevor, qui pétillaient d'une gaîté impitoyable.

— Ah ! Encore vous ?

— Comment, encore moi ? Nous ne nous sommes pas vus de la journée, et cela fait une heure que je vous observe, que je vous vois danser, boire, émoustiller ces pauvres jeunes gens naïfs par vos regards scandaleusement provocants, sans oser vous aborder.

Comment ? Il l'avait vue ? Il l'avait épiée, une fois de plus à la sauvette, et elle ne s'était aperçue de rien ? Et il n'avait même pas eu la politesse de venir la saluer dès qu'il l'avait reconnue !

— C'est donc une manie chez vous d'épier les gens ?

— Je ne suis pas le seul à l'avoir. Vous semblez la partager. Vous n'avez pas quitté des yeux la femme avec qui je dansais, et je parie que vous ne lui avez rien épargné. Vous avez évalué ses plus imperceptibles défauts.

C'était trop fort ! Jamais leurs yeux ne s'étaient rencontrés, or rien ne lui avait échappé.

— Etes-vous Janus ? Avez-vous donc des yeux derrière la tête ?

— Non, ma chère. Je n'ai pas besoin de rencontrer votre regard pour qu'il me brûle.

Clarisse éclata d'un rire un peu trop bruyant :

— C'était plutôt le regard de cette femme qui semblait vous brûler... Le serpent charmait le charmeur...

— Beau serpent, n'est-ce pas ? observa-t-il d'un ton dégagé.

— Superbe. Je n'ai jamais vu de ma vie une femme aussi impressionnante.

Clarisse parlait d'une voix claire, qui ne laissait pas deviner son mécontentement.

— N'ayant pas l'œil exercé de l'anthropologue, je ne suis pas arrivée à deviner d'où elle venait. De quel pays lointain ?

— De Côte-d'Ivoire, répondit Trevor.

— Ah, bon ?

Réprimer les battements de son cœur, se calmer, feindre l'indifférence à ce que disait Trevor, ralentir le pas, sourire...

— C'est une mulâtresse, fille d'une femme de la tribu des Dan, et d'un industriel anglais de passage... Une enfant de l'amour. Je l'ai rencontrée dans un Country Club, à côté d'Abidjan. Voyez comme le hasard fait curieusement les choses, voilà qu'elle est venue passer quelques mois à Oxford, où, entre autres occupations, dont celle d'apprendre l'anglais, elle suit également mes cours. Curieux, non ?

— Curieux, en effet...

Ces révélations firent à la jeune fille l'effet d'une douche froide. Ainsi, cette femme sublime voyait Trevor tous les jours ou presque. Et la manière dont elle le regardait, pendant qu'ils dansaient, en disait long sur leurs relations. Regarde-t-on ainsi, d'une manière aussi indécente et provocante, un homme qui ne vous est rien ? Non. Evidemment. Clarisse se doutait qu'ils avaient fait plus qu'échanger des regards. Cette pensée la meurtrit.

— Comment s'appelle-t-elle ? demanda-t-elle à Trevor, d'une voix qu'elle s'efforça de rendre normale.

— Suzan Cole. Elle porte le nom de son père qui l'a reconnue avant de la laisser tomber... d'ailleurs assez lâchement. D'où sa méfiance vis-à-vis des blancs.

— Elle n'avait pas l'air de se méfier de vous, tout à l'heure, remarqua Clarisse.

— Non, elle ne se méfie pas de moi, mais les sentiments qu'elle me porte n'en sont pas pour autant empreints de cordialité.

— Comment ? s'exclama Clarisse, stupéfaite. Elle vous dévorait des yeux !

Trevor eut un rire grave, sans joie.

— L'expression est parfaite, dit-il d'une voix qui avait baissé d'un ton, elle me dévorait des yeux. Vous avez parfaitement raison.

— Vous en faisiez autant avec elle. Ce manège ne pouvait vous déplaire !

Il y avait du défi dans la voix de Clarisse.

Trevor s'arrêta au milieu de l'allée, saisit le bras de Clarisse et la força à se tourner vers lui : son regard gris plongea dans les yeux de la jeune fille et il dit, d'une manière sentencieuse :

— J'ai les meilleures raisons du monde pour regarder cette femme.

Et il ajouta, sibyllin, comme il l'était parfois :

— Je crois même que c'est la seule chose intelligente à faire...

Comme Clarisse ne répondait pas, il poursuivit :

— Il y a des choses qu'il faut regarder en face. Je ne veux pas faire comme l'autruche, qui se cache la tête dans le sable.

Que signifiaient ces propos? Qu'est-ce que Trevor voulait lui faire croire?

— Trevor, arrêtez de jouer et de me prendre pour une imbécile. A quoi voulez-vous en venir avec ces phrases mystérieuses que vous jetez en l'air, parfois, et qui ne signifient rien pour quiconque que pour vous-même? Qu'essayez-vous de cacher, ou de prouver? Je ne suis pas une oie blanche, et cette Suzan vous plaît infiniment. Voilà pourquoi vous la regardiez ainsi.

— Petite sotte!

La pression des doigts de Trevor sur le bras de Clarisse se fit plus forte.

— Aïe, fit-elle, lâchez-moi.

— Petite sotte, répéta-t-il, avec une fureur contenue. Vous ne pouvez pas comprendre... «Nous ne voyons jamais qu'un seul côté des choses. L'autre plonge en la nuit d'un mystère effrayant.» C'est votre grand poète Victor Hugo qui a dit cela, si mes souvenirs sont bons.

— Je l'ignore. Vous connaissez mieux que moi la littérature française. Maintenant, lâchez-moi.

Trevor n'en fit rien et déclara :

— Il y a des choses que vous comprendrez plus tard, bien plus tard, petite fille.

Sa voix baissa d'un ton :

— ... et qui sont terribles, effrayantes...

Le comportement de Trevor était étrange. L'instant précédent, Clarisse était exaspérée par cet homme hâbleur, moqueur, sûr de lui, et maintenant, elle ne savait que penser. Une fois de plus, l'inquiétude réapparaissait chez Trevor, et Clarisse le sentait démuni, malheureux, en proie à des tourments qui semblaient, non pas l'abattre, mais le déranger, l'impressionner. Elle n'avait plus envie de fuir. Elle voulait comprendre ses brusques revirements mais n'osait pas le questionner.

Il la regarda avec intensité, poussa un soupir comme pour chasser une idée désagréable et, changeant de sujet :

— Cette robe, cousue sous mes yeux, vous va vraiment à merveille. Et coiffée comme vous l'êtes, vous êtes encore plus séduisante qu'hier.

Il avait fait ce compliment avec gentillesse, sans l'ombre d'une moquerie dans la voix, et Clarisse n'avait aucune raison de se montrer agressive ou de le remettre à sa place.

— C'est bien avec Ambrose Rigby, n'est-ce pas, que vous dansiez, tout à l'heure ? demanda-t-il.

— Oui.

— Et j'imagine que c'est lui, votre chevalier servant, ce soir ?

— Oui. Un chevalier servant courtois, prévenant, poli, et qui plus est, excellent danseur.

— J'ai pu le constater. Mais comment diable avez-vous fait la connaissance de ce bourreau de travail ? Je ne l'ai jamais vu que plongé dans ses livres et je dois dire que j'ai eu le choc de ma vie en le voyant danser. Où a-t-il appris ? Comme c'est étrange. Les gens, vraiment, ont tous une double vie, un jardin secret.

— Nous nous sommes rencontrés à la bibliothèque de Saint Anthony's, et il m'a invitée à prendre un café à l'*Osiris*.

— Vous voulez dire qu'il vous a accostée, comme cela, sans vous connaître ?

— Absolument.

— Bigre ! Voilà qui est nouveau ! Le coup de foudre. Vous lui avez tourné la tête, à ce pauvre garçon. Fallait-il que vous lui plaisiez pour qu'il ose un geste aussi courageux ? Il n'y a pas moins dragueur qu'Ambrose, et pas plus sérieux.

— Ce n'est pas comme d'autres, fit Clarisse en regardant Trevor du coin de l'œil.

— Quelles sont ces insinuations ?

— Ce ne sont pas des insinuations. C'est une constatation. Votre réputation n'est plus à faire.

Trevor eut un rire bref et lâcha le bras de Clarisse pour lui prendre l'épaule et l'entraîner dans l'allée sombre.

— Là, vous vous trompez. Ma réputation reste à faire. Mon nom dans l'anthropologie n'est connu que des seuls oxoniens et ne brille que dans l'enceinte de l'Université.

— Ne détournez pas le sujet. Vous savez très bien de quelle réputation je veux parler.

— Celle d'un séducteur ? Mais, ma chère, bien qu'elle me flatte, elle est totalement usurpée. C'est ma tante qui entretient cette légende. Cela lui fait plaisir d'avoir un neveu qui plaît aux femmes et, comme elle ne manque pas d'imagination, elle en remet, elle grossit mes aventures, les multiplie. Elle me voudrait Casanova. Hélas ! Hélas, je suis très loin du compte.

— On ne prête qu'aux riches, et vous, on vous prête beaucoup !

— Qui, on ?

— D'abord votre tante. Elle brode mais c'est sur une réalité. Et puis...

Clarisse hésita, réfléchit.

— Et puis, Ambrose...

— Ambrose ?

Trevor s'arrêta de marcher, se prit le menton dans les mains et regarda Clarisse avec un air étonné.

— Vous étiez au mieux avec la sœur d'Ambrose, n'est-ce pas ? demanda la jeune fille.

— Ah, c'est donc ça ! Mon Dieu, quelle vieille histoire ! Julia Rigby ! Oui, évidemment, évidemment... Une fille charmante.

— Que vous avez fait souffrir ?

— On ne fait souffrir que les gens qui aiment souffrir, et celle-là avait une âme de tragédienne. Elle ne pouvait aimer que dans le malheur et entretenait ses tristesses avec acharnement, se flagellant avec ses souvenirs dramatiques.

Il se tourna vers Clarisse :

— Croyez-moi, elle aurait été malheureuse avec un autre, avec tous les autres.

Et il ajouta d'un ton sec :

— De toute façon, je n'étais pas amoureux d'elle. J'ai cru l'être un instant, mais je m'étais trompé. Julia ne fut pour moi qu'un oiseau de passage. Comme moi, pour elle. Ne la plaignez pas, ce serait bête, car elle a assurément trouvé le malheur dans les bras d'un autre.

— Cynique...

— Non, réaliste. Je ne suis pas quelqu'un de méchant, contrairement à ce que vous semblez croire, mais je vous jure qu'il est impossible de vivre avec une femme qui pleure sans arrêt, et qui aime ça.

— Effectivement !

Clarisse devait avouer que ce devait être une chose difficile.

— Et je peux vous jurer que sa mélancolie n'était pas écrite sur son visage. Elle souriait tout le temps, les premiers jours.

— De votre passion ?

— De notre relation, rectifia-t-il. De passion, il n'en fut jamais question, sauf dans ses fantasmes. Quant à moi, je vous l'ai dit, je n'ai jamais été amoureux.

— Vraiment ?

Toute l'incrédulité perçait dans l'exclamation de Clarisse.

— Quoi que vous puissiez en penser, ma chère, c'est la vérité la plus vraie.

— Et comment donc !

— Parfaitement... Je n'ai jamais été amoureux de Julia, où si vous préférez je l'ai été, comme d'autres fois, éperdument, le temps d'un désir, le temps d'un soupir... Ne vivons-nous pas toute notre vie dans un état amoureux ?

Clarisse ne sut que répondre.

— Ne sommes-nous pas toute notre vie à la recherche de quelque chose qui nous satisfasse pleinement, et tous ces coups au cœur ne sont-ils pas comme des étapes qui jalonnent le chemin qui mène au bonheur ? Et puis arrive un jour où la certitude nous saisit, où nous possédons la certitude que nous ne nous trompons pas. Et cette fois-là, pour la première fois, nous avons peur, nous renâclons, nous nous défendons...

Trevor s'était arrêté de marcher, et, avisant un banc de pierre sur la pelouse, s'y assit.

— Venez ici, asseyez-vous à côté de moi.

Clarisse obéit en silence, puis se releva :

— Je devrais aller rejoindre Ambrose. Il doit s'inquiéter et se demander où je suis passée.

Trevor l'attrapa par le bras et l'attira à côté de lui.

— Ça, il s'inquiète sûrement ! mais laissez-le, votre absence attisera sa flamme. Et puis, n'êtes-vous pas bien ici ?

Clarisse hésita avant de répondre. Oui, elle était bien, elle devait s'avouer qu'elle ne se sentait plus seule, qu'elle aimait à écouter cette voix grave et lente. Elle éprouvait un sentiment de plénitude et il lui sembla tout naturel de sentir la main de Trevor sur la sienne. Il était dans l'ordre des choses qu'il portât cette main à ses lèvres pour la baiser. Elle se sentait bien, détendue, heureuse... à nouveau... Ce que le jeune homme lui disait ne lui semblait plus indécent, ni vulgaire :

— Vous êtes gentille, vous êtes belle, vous êtes maligne et parfois drôle ; heureux sera l'homme qui vous prendra dans ses bras et vous y enfermera, une fois pour toutes. Ne gâchez pas vos chances, petit lutin, petite fée des forêts hongroises.

Le bras de libre Trevor lui enserrait les épaules avec douceur et fermeté pour l'amener contre lui ; elle était sans résistance.

— Ce que je vous ai dit hier soir est vrai, vous me plaisez infiniment et c'est un supplice de vivre près de vous, un supplice enivrant. Vous êtes la tentation faite femme pour un homme comme moi.

Une tentation : rien de plus ! Un jour il se moquait d'elle, et le lendemain, il lui faisait des déclarations. Quel goujat ! Résister. Fuir. C'était la seule chose à faire, sans quoi la douceur qui commençait à l'amollir l'anéantirait bientôt contre l'épaule trop large et trop accueillante de Trevor.

Où trouva-t-elle la force de rétorquer :

— Et quand avez-vous eu cette révélation ?

— Mais la première fois que je vous ai vue, parbleu. Dès l'instant où vous êtes entrée dans le salon de ma tante, quand je me suis retourné sur le tabouret du piano.

Que répondre à cela ? Se moquer, une fois de plus. Clarisse ne le pouvait pas. Elle était prise au piège de ces mots trop tendres, de ces lèvres qui s'approchaient des siennes, pour s'y poser.

— Non ! cria-t-elle.

Mais la bouche de Trevor couvrait déjà la sienne et s'entrouvrait dans un baiser doux, tendre, forçant sa propre bouche à s'ouvrir. En vain elle essayait de le repousser, les deux mains plaquées sur la large poitrine mais, comme si de rien n'était, il continuait à la serrer contre lui, un de ses bras encerclant sa taille. Son baiser devenait plus profond, et elle eut peur. Elle ne devait pas aimer un homme qui se jouait d'elle et qui serait prêt à la laisser choir dès qu'elle aurait cessé de l'intéresser.

— Trevor, non, s'il vous plaît. Laissez-moi partir, supplia-t-elle, alors que les lèvres de l'homme s'attardaient sur ses paupières.

Elle s'entendait balbutier, dire des mots qu'elle ne pensait pas et qui lui étaient dictés par un instinct de défense qui disparaissait rapidement :

— Je ne serai jamais amoureuse de vous. Jamais vous m'entendez ? Quand je tomberai amoureuse, ce sera d'un gentil garçon, doux, et qui ne m'étranglera pas la taille d'une seule main, qui n'abusera pas de sa force, qui ne profitera pas de sa supériorité physique pour abuser de moi, qui ne...

Trevor relâcha son étreinte et se leva d'un bond :

— Continuez, dit-il. Un garçon comme Ambrose Rigby, par exemple.

— Comme Ambrose, exactement. Beau, intelligent, jeune, brillant, poli, gentil.

Plus elle cherchait des qualificatifs, moins elle était convaincue. Bien sûr, Ambrose était tout cela, mais elle n'était pas le moins du monde amoureuse de lui. Elle n'aurait certainement rien ressenti s'il l'avait embrassée. Peut-être même aurait-elle ri gentiment, et l'aurait-elle remis à sa place, avec une petite tape amicale sur la joue... Ah! la vie était vraiment mal faite. Pourquoi cet Ambrose n'était-il pas juste un tout petit peu plus séduisant? Pourquoi ne ressentait-on le trouble et le vertige que dans des bras aussi puissants que ceux de Trevor, au creux de ces épaules si larges?

Elle se leva et se força à lancer un regard furieux à Trevor qui l'attrapa d'une main, la plaqua contre lui et l'embrassa brutalement.

Rien ne laissait présager que ce baiser serait interrompu brutalement et que la jeune fille serait soudain confrontée à un cauchemar.

7

Ce baiser l'avait enflammée, avait fait couler du feu dans ses veines. Incapable de résister, elle s'était laissée aller tout entière à cette nouvelle émotion qui lui donnait la vie, qui lui prenait la vie.

Et alors qu'elle lui rendait ce baiser, que ses lèvres s'ouvraient dans un total abandon, Trevor s'était retiré en poussant un cri terrible. Ce cri! Toute sa vie, il résonnerait à ses oreilles!

Toute sa vie Clarisse se souviendrait de cet instant horrible où Trevor, debout devant elle, immobile, fixait sa main avec des yeux fous, injectés. Sa main qui s'était paralysée subitement, les doigts contractés, en griffe. De l'intérieur de la paume coulait un sang rouge foncé, et ce sang avait inondé le visage et la robe de Clarisse, partout où la main de Trevor s'était posée.

Hagard, Trevor fixait le visage de Clarisse de ses yeux hallucinés :

— Sorcière! Voilà ce que vous êtes sous vos allures angéliques! C'est vous, c'est vous, je le sais maintenant. Mais, vous ne m'aurez pas. Je déjouerai vos sortilèges.

C'était sûrement un cauchemar. Clarisse allait se réveiller d'un instant à l'autre. Elle ferma les yeux, les rouvrit : les taches de sang maculaient toujours sa robe. Sa paume qu'elle avait passée sur sa joue et sur ses lèvres était couverte de sang, et Trevor était toujours debout devant elle, immobile, la main paralysée.

La sueur coulait de son front, et il semblait en transe, tout son corps secoué de spasmes nerveux.

— Trevor, je vous en prie, Trevor. Qu'avez-vous? Montrez-moi votre main.

Elle avait hurlé, presque, et elle l'avait secoué de toutes ses forces :

— Trevor, que se passe-t-il? Que vous arrive-t-il, êtes-vous malade?

Mais il ne répondit pas et ne sembla pas entendre. Le feu des bûchers luisait dans son regard dardé sur Clarisse qui avait envie de sangloter.

— Trevor, Trevor...

C'était comme si une sorte de fièvre l'avait envahi. Il essaya en vain de bouger sa main le long de laquelle le sang continuait à couler. Son visage était devenu livide ; il prononça des mots sans suite, des mots terrifiants :

— Ah, ces oiseaux, ces oiseaux... Non, je le sais, moi, que ce ne sont pas des oiseaux. Ils mentent... Ne les croyez pas. Ne croyez jamais ces vilains oiseaux noirs, ils volent trop bas, ils sont trop lourds... Ah, ces oiseaux noirs qui tissent inlassablement, la nuit...

Clarisse n'entendait plus, ne voyait plus. Tout s'était brouillé. Seuls les yeux de saurien de la vieille cartomancienne revinrent dans son souvenir. Ils brillaient dans la nuit, et ils la fixaient :

— Méfiez-vous des oiseaux noirs... entendait-elle... Méfiez-vous...

Et voilà que Trevor, lui aussi, évoquait des oiseaux dans son délire... Des oiseaux noirs qui volaient bas... Mais tout cela ne pouvait être qu'un cauchemar, qu'une farce sinistre.

Elle se boucha les oreilles pour ne plus entendre :

— Non! Non, taisez-vous, Trevor. Vous êtes fou... Vous voulez me rendre folle. Je vous en supplie, taisez-vous. Je vais chercher un docteur.

Il l'attrapa par la manche et l'obligea à l'écouter.

— Ces oiseaux de mort qui vous suivent par-delà les mers, continua Trevor d'une voix blanche.

Puis il se tut et se laissa tomber sur le banc, comme un homme épuisé.

Clarisse s'était souvenue de l'oiseau noir au cœur

percé d'une aiguille trouvé dans la boîte aux lettres...
Sa peur redoubla.

Il se leva en titubant et, se tournant vers Clarisse, prononça ces mots :

— Je ne sais pas ce qui vient de m'arriver...

Il arrivait à peine à articuler.

— Tout... ce que... que je sais, c'est que je ne suis en aucun cas responsable de ce que je... je... viens de... de dire... Oubliez-le... Oubliez-le... Il y a des forces inconnues qui exercent une influence impérieuse, même à distance. Je n'y croyais pas, j'avais tort...

Puis, levant vers Clarisse un regard fiévreux, il lui dit :

— Partez maintenant, laissez-moi seul, j'ai des choses à faire...

Clarisse s'enfuit en courant, aveuglée par les larmes et glacée de terreur. Elle ne comprenait rien à ce qui venait de lui arriver. La nausée la submergeait et elle ressentait une impression de dégoût et d'horreur insurmontable.

Etait-elle en train de devenir folle ? Avait-elle été victime d'une hallucination ?

Dans l'état où était sa robe, elle ne pouvait plus paraître au bal ; aussi rentra-t-elle par le vestiaire, en cachant tant bien que mal les taches de sang, pour prendre son manteau ; elle se lava le visage et les mains avant d'aller retrouver Ambrose.

Il ne lui demanda rien, ni ne lui fit aucune remarque quand elle le supplia de la raccompagner chez elle :

— Je ne sais pas ce que j'ai, j'ai la tête qui tourne, fit-elle, en se forçant à parler d'une voix normale et calme.

— Trop de mousseux, peut-être, fit-il simplement.

Il la ramena devant la grille de Belmount House, dans la vieille guimbarde prêtée par un ami pour l'occasion.

— Bonsoir, dit-il en lui baisant la main avec déférence. Merci, merci mille fois d'avoir bien voulu m'accompagner. D'ailleurs, sans vous, je ne serais pas allé à ce bal. En fait, je suis un sauvage, et j'ai horreur des mondanités.

Il n'avait pas lâché la main de Clarisse et celle-ci vit venir avec terreur le moment des déclarations. Elle était absolument incapable d'entendre quoi que ce soit, encore moins d'être gentille, patiente ou affectueuse ; toutefois, elle ne voulait pas faire de la peine à Ambrose qu'elle aimait, déjà, comme un ami. Pour couper court à toute effusion, elle plaqua un baiser sur la joue du jeune homme, et ouvrit la porte de la voiture :

— C'est à moi de vous dire merci, Ambrose. Vous avez été merveilleux, et je n'ai jamais eu de ma vie un aussi bon danseur. Mais pardonnez-moi. J'ai une migraine atroce, et je dois rentrer immédiatement.

Quatre heures du matin.

Clarisse ne pouvait pas trouver le sommeil. Les larmes coulaient le long de ses joues sans qu'elle puisse les arrêter. Pourquoi Trevor l'avait-il traitée de sorcière ?

En vain, elle essayait de se raisonner, de mettre de l'ordre dans ses idées, d'analyser ce qui venait de se passer pour en trouver le sens.

Tout lui paraissait absurde. En plus de sa douleur, elle était la proie d'une peur qui brouillait son jugement et corrompait aussi l'atmosphère ambiante autour d'elle. A la lumière de la petite lampe de chevet qu'elle avait laissée allumée, elle croyait apercevoir des ombres bizarres se tassant dans les angles, d'équivoques plis dans les rideaux. Le grincement des volets mal fermés semblait provenir d'elle ne savait quelle vie effrayante et sans nom.

Il lui semblait qu'une menace rôdait dans la chambre ou dans la maison, une chose invisible qu'elle devinait tapie dans un coin sombre et qui la guettait. Une présence ennemie dont elle avait l'impression parfois de sentir le souffle passer sur son visage.

« Serais-je en train de devenir folle ? se dit-elle. Tout cela n'est qu'un effet de mon imagination. »

N'y tenant plus, elle se leva et alla chercher une cigarette dans son sac. Elle fumait rarement, mais cette fois-ci elle en avait vraiment besoin.

Pour se calmer, elle se mit à marcher de long en large dans sa chambre, en tirant sur sa cigarette, alluma toutes les lumières et se posta devant le miroir pour s'assurer qu'elle était toujours la même, mais le miroir ne lui renvoya que l'image d'une jeune fille triste, aux yeux rougis.

— Allons, ma fille, un peu de bon sens. Que signifient ces pleurs stupides ? Trevor t'a fait marcher avec un numéro d'illusionniste.

A vingt ans passés, Clarisse de Lignancourt pleurait dans le noir parce qu'un cinglé dont elle se croyait éprise l'avait repoussée après l'avoir embrassée. A vingt ans passés, elle croyait encore voir bouger les plis des rideaux sous l'effet de Dieu sait quel tour de magie, songeait-elle.

Mais l'instant d'après, sa fermeté bascula ; elle alluma une autre cigarette et alla s'asseoir à sa table. Elle prit un crayon et le cahier, dans lequel il lui arrivait de noter ses pensées.

En notant, point par point, tout ce qui lui était arrivé, peut-être arriverait-elle à y voir plus clair ? Elle réfléchit un instant, puis son crayon se mit à courir :

« 1) En arrivant à la gare d'Oxford, Trevor Mostyn se fait heurter par une voiture qui le renverse ! Il se foule la cheville et refuse d'aller voir un médecin.

2) Il tient des propos bizarres, incompréhensibles.

3) Je jure avoir entendu, le soir de son arrivée, des pas dans le jardin. Il n'y avait personne.

4) Le téléphone sonne. Personne au bout du fil.

5) Inquiétudes de Trevor, approximativement, à la même heure tous les soirs. »

Clarisse posa son crayon. « Jusqu'ici rien d'étrange.

Trevor peut très bien avoir des ennuis personnels qui lui reviennent régulièrement en mémoire. Quant à ses propos bizarres, c'est de famille. Lady Chalgrove tient elle aussi des propos inattendus. Combien de fois risque-t-on de se faire écraser par un chauffard ? Cela arrive presque tous les jours si on ne fait pas attention en traversant la rue. Une erreur au téléphone, cela arrive aussi quotidiennement. »

Clarisse écrasa sa cigarette et se remit à écrire :

« 6) Dans la boîte aux lettres, le merle noir, au cœur troué d'une aiguille.

7) Comportement étrange de Trevor qui jette l'aiguille dans le feu, et va noyer l'oiseau mort dans la rivière.

8) Lugubre mélopée qui monte des bords de la rivière. Départ précipité de Trevor ce soir-là.

9) Trevor me fait la cour, va jusqu'à entrer dans ma chambre par la fenêtre, me déclare qu'il est fou de moi. Déclarations qu'il a réitérées ce soir, avec passion, dans le jardin de Balliol College.

10) Balliol College, tout à l'heure : Trevor m'embrasse, puis s'éloigne de moi en poussant un cri. Du sang coule de sa main, brusquement paralysée. Il me traite de " sorcière " et, comme s'il était en proie au délire, se met à évoquer des oiseaux noirs. Oiseaux noirs dont la cartomancienne m'a dit de me méfier. »

La main de Clarisse se mit à trembler. L'horrible peur la saisit de nouveau. Les lignes qu'elle essayait de relire se brouillaient, dansaient devant ses yeux.

— Mais pourquoi, pourquoi, gémit-elle, m'a-t-il traitée de sorcière ? Que lui ai-je donc fait ? Mon Dieu, que tout cela est horrible !

Elle resta assise à sa table, la tête dans les mains, effondrée.

« Je dois partir d'ici, dit-elle. Je dois partir, et au plus vite. Ce n'est plus tenable. »

Pourquoi fallait-il que le premier homme qu'elle aimait — car elle aimait Trevor, elle ne pouvait se le cacher — la torture ainsi? La volupté de son premier baiser avait été empoisonnée par l'épouvante. Si elle avait eu plus d'expérience, peut-être aurait-elle deviné tout de suite qu'il ne fallait en aucun cas lever les yeux sur cet homme. Mais, petite sotte qu'elle était, elle avait savouré le trouble qu'elle ressentait en sa présence. Bien qu'elle ait voulu le chasser de sa chambre la nuit dernière, elle eût été fâchée qu'il lui obéisse. Ultime bêtise, elle lui avait rendu son baiser, sous les arbres de Balliol, et ce baiser contenait toute son âme.

Ce n'était pas sa faute. Dans le premier amour, le cœur n'a ni limites, ni défiances, ni défenses. Les désillusions et les tristesses ne l'ont pas encore meurtri, ni durci. Pourquoi douter du bonheur? Dans les natures comme la sienne, l'amour devait être une tempête capable d'abattre tous les arguments de la raison.

Clarisse n'existait que pour cela, et quand Trevor l'avait prise dans ses bras, elle savait qu'elle n'aimerait qu'une fois et que sa vie n'y suffirait pas.

Le jeune anthropologue était tombé du ciel dans le salon de Lady Chalgrove pour l'enlever et lui faire partager un destin exceptionnel. Que savait-elle de lui? Rien. Sinon que son père et sa mère étaient morts dans le naufrage du *Lamoricière,* en 1942, et que, sans parents proches, il avait été plus ou moins confié à la garde de la vieille dame infirme qui avait jeté sur lui, de temps à autre, un œil attendri et distrait. Il avait vécu en sauvage, sans lois, sans contraintes, allant d'une femme à l'autre, passant ses examens avec facilité car il était extrêmement intelligent.

— Oh! Trevor, Trevor. Pourquoi m'avez-vous fait si mal?

Et puis il y avait cet oiseau mort, ces imprécations incompréhensibles. Trevor paraissait avoir apporté avec lui tout un monde étrange; cherchait-il à terroriser Clarisse avec des croyances en vigueur chez les Dan? Ou bien était-il réellement la proie des sortilèges? Non, c'était impossible, il ne croyait pas à ces histoires tout juste bonnes à faire peur aux enfants. Il avait voulu se moquer de Clarisse par une mise en scène macabre destinée à l'épouvanter. A cette pensée, Clarisse se révolta.

Il n'était pas trop tard. Elle pouvait encore essayer de se détacher de ce monstre. A la réflexion, quitter l'Angleterre était une bêtise, un pas en arrière qu'elle ne voulait pas faire. Mais il restait Cambridge. Là aussi, elle pourrait apprendre l'anglais et le chinois. Là aussi, elle trouverait facilement un emploi de jeune fille au pair.

Quand, enfin, elle s'endormit, sa décision était prise. Demain elle annoncerait son départ à Lady Chalgrove.

Le lendemain matin, quand elle vit la vieille dame lui sourire, elle n'eut pas le cœur de la décevoir et elle remit à plus tard son départ. Tout ce qui lui était arrivé ressemblait tellement à un mauvais rêve ! Si Trevor s'était joué d'elle, ce serait lui qui partirait, les plaisanteries les meilleures étant toujours les plus courtes.

— Clarisse, mon petit, écoutez donc mes élucubrations. Il me plaît parfois d'affronter, ce que votre grand écrivain Flaubert je crois, appelait « l'épreuve du gueuloir ».

Lady Chalgrove dit ces derniers mots en français, et son accent était si comique que la jeune fille ne put s'empêcher de rire :

— Volontiers, madame, j'écoute.

Clarisse prit place au pied du lit de sa vieille amie. Elle s'était coiffée, maquillée pour cacher sa mauvaise mine, et on aurait pu jurer qu'elle avait dormi toute la nuit du sommeil du juste. Comme chaque matin, elle était arrivée à huit heures sonnantes dans la chambre bleue de Lady Chalgrove et avait trouvé la romancière, la tête soutenue par un oreiller, la plume à la main, en train de noircir des pages :

— Et ne vous gênez pas pour faire toutes les critiques qui vous viendront à l'esprit. C'est un service que vous me rendrez. Je deviens un peu gâteuse...

— Je ne vous passerai rien, répondit la jeune fille sur le ton de la plaisanterie.

Lady Chalgrove se gratta la gorge, changea sa paire de lunettes et lut :

— « Au moment où le soleil traînait ses derniers rayons sur la lande déserte, incendiant la rivière, l'homme arriva, l'échine courbée, comme un fauve, enlinceulé d'une longue blouse noire, un chapeau claque descendant sur ses oreilles. Tous les soirs, à l'heure trouble des crépuscules, cette vision anonyme surgissait. D'où venait cet homme ? Que faisait-il ? »

Une fois de plus Clarisse retrouvait dans les élucubrations de la romancière tout l'arsenal éculé de l'épouvante : la morne randonnée de spectres, la façade aveugle d'une maison grise, toutes les fantaisies morbides inspirées à Lady Chalgrove par l'esprit de Fair Lady Rosamund et par les vapeurs blanches du cimetière.

— « ... l'œil gauche de l'homme s'entrouvrait à peine entre deux paupières rougeâtres. Sa bouche se tordit dans un rictus affreux tandis qu'il sortait de sa poche un merle mort et qu'il le perçait au cœur avec une longue aiguille qu'il avait décrochée de sa vareuse... »

Clarisse tressaillit. Un malaise l'envahit. La vieille dame interrompit sa lecture pour déclarer :

— Vous voyez, mon enfant, j'ai réussi à caser notre oiseau, et maintenant toute l'histoire va tourner autour de ce mystérieux volatile qui sera le signe de quelque épouvantable intrigue. La jeune fille trouvera cet oiseau sur la table de la salle à manger, elle le regardera avec effroi, parce qu'elle saura quelles menaces la guettent.

Lady Chalgrove posa ses feuillets sur son lit, et soupira bruyamment.

— Ah, si au moins, moi, je savais ce qui va lui arriver, à cette pauvre jeune fille !

Clarisse eut envie de répondre : « Ce qui va lui arriver ? Mais c'est tout simple. Elle va prendre ses cliques et ses claques, et ne plus jamais remettre les pieds dans cette maison habitée par des fous, infestée d'oiseaux morts et de bruits venus de nulle part. Voilà la seule chose raisonnable qu'elle ait à faire. »

Une colère sourde la faisait frémir. Elle sentait qu'elle allait éclater. Ses mains se crispèrent sur la courtepointe qui recouvrait le lit et la lueur d'exaspération qui alluma son regard surprit la vieille dame, qui lui demanda, étonnée :

— Eh bien, Clarisse, qu'avez-vous?

— Rien. Je n'ai rien, absolument rien, fit-elle d'une voix sourde.

— Comment, rien? Je ne vous ai jamais vue comme ça!

Clarisse éclata en sanglots. C'en était trop. Elle était à bout de nerfs.

La vieille dame interloquée ne savait que dire pour endiguer ce torrent, et consoler la jeune fille. Elle avait toujours connu Clarisse gaie et rieuse. Qu'est-ce qui avait bien pu se passer pour déclencher un tel désespoir?

— Pourquoi pleurez-vous, ma petite chérie? Quelqu'un vous a-t-il fait du mal? Etes-vous malheureuse ici?

La voix douce et sincèrement affligée de Lady Chalgrove aviva le chagrin de Clarisse.

— Confiez-vous à moi, ma petite, je suis vieille, je peux tout comprendre.

Clarisse avait-elle assez confiance en Lady Chalgrove pour lui avouer son tourment? Et puis, que dire? Qu'elle avait peur? Que cette histoire d'oiseau la hantait? Qu'elle aimait Trevor à en perdre la tête? Non, c'était impossible. Elle ne pouvait pas.

Elle soupira. Il fallait qu'elle se calme et qu'elle ose dire enfin qu'elle voulait partir. Mais les mots lui restaient au travers de la gorge.

— Ma... madame, il faut...

— Que faut-il, mon enfant? Allons, dites-moi tout ce que vous avez sur le cœur. Je vous aime un peu comme si vous étiez ma fille. Je me suis attachée à vous. Tout ce qui vous arrive me touche.

Clarisse se taisait. Elle avait une boule dans la gorge.

Où trouver le courage d'annoncer son départ ? Clarisse regardait le gentil visage souriant de cette femme, à laquelle elle aussi s'était attachée. Elle était si vieille, si handicapée, et si gentille malgré ses lubies et ses goûts pour les mystères d'outre-tombe. Et elle avait l'air heureuse de vivre avec elle. Si souvent elle lui avait répété qu'elle avait retrouvé sa jeunesse et sa gaieté grâce à elle. Non. Ce serait vraiment trop cruel de l'abandonner ainsi, tout de suite, sans explications. Et surtout sans qu'elle ait eu le temps de trouver quelqu'un pour la remplacer.

— Mon petit, la vie est belle, toutes les fées se sont penchées sur votre berceau. Vous êtes ravissante, intelligente, vous avez les plus beaux cheveux du monde. Vous êtes le charme même. Personne ne s'approche de vous sans se sentir immédiatement attiré. Ce jeune Ambrose dont vous m'avez parlé et qui semble être, d'après ce que vous m'en avez dit, absolument exquis, vous amène au bal et vous fait certainement la cour. Jusqu'à mon sauvage de neveu qui vous dévore des yeux, et chose encore plus remarquable, vous écoute et rit à vos reparties, même s'il se moque de vous. Il serait un peu amoureux de vous que cela ne m'étonnerait qu'à moitié.

Clarisse se força à sourire comme si la vieille dame venait de faire une plaisanterie, et, afin de se donner une contenance, elle se leva pour aller s'essuyer les yeux devant un miroir.

— Ne vous inquiétez pas, madame, dit-elle en tournant le dos à Lady Chalgrove, car il était plus facile de mentir comme cela. Je suis énervée, tout simplement, et parfois, ma mère me manque. Et puis j'ai mal dormi, c'est tout. C'est passé maintenant.

— Je l'espère ma chérie, mais je vous le répète, si quelque chose vous chagrine, dites-le-moi. Il y a une solution à tout, et on se console de tout. Plus vite qu'on ne croit. Même, et surtout je dirais, des chagrins d'amour.

Lady Chalgrove avait-elle deviné quelque chose ? Romanesque comme elle l'était, elle souhaitait sûrement que Clarisse ait une histoire d'amour. Peut-être aussi, avec son goût du merveilleux, souhaitait-elle autre chose. Une idée traversa la tête de Clarisse, une idée qu'elle avait eue déjà, une fois, au cimetière :

« Serait-elle capable de provoquer un drame, une intrigue monstrueuse, rien que pour le plaisir de se sortir de sa vie routinière et de se fouetter l'imagination ? Serait-elle capable de faire jouer à des êtres humains ce qu'elle voudrait faire faire à ses personnages ? »

Un pompier ne devient-il pas pyromane pour le seul plaisir d'éteindre des feux ? Pourquoi un romancier ne fabriquerait-il pas de toutes pièces une intrigue pour la voir jouer devant lui par ses proches ? Clarisse n'était-elle qu'un cobaye dont la vieille dame étudiait les réactions pour mieux les écrire ?

Ne serait-ce pas elle qui aurait imaginé cette histoire d'oiseaux ? Certes, elle était infirme, et même si elle pouvait sortir toute seule dans le jardin, par la porte-fenêtre du salon, elle était incapable de ramasser un oiseau mort. Mais... il y avait le fidèle valet de chambre-jardinier, l'énigmatique Timothy, au visage figé, qui ne souriait jamais. Cela faisait quarante ans qu'il était au service de Lady Chalgrove et il semblait lui être dévoué corps et âme. Nul doute qu'il avait servi, un jour ou l'autre, les fantaisies de sa maîtresse. Il était son complice. Ils devaient bien s'amuser, tous les deux, à fomenter des intrigues machiavéliques. Oui, au fond, pourquoi pas ? Cela se tenait...

Mais non, à la réflexion, cela ne tenait pas du tout et n'expliquait nullement l'attitude de Trevor. A moins que lui aussi ne soit complice de cette monstrueuse plaisanterie. Il tenait un rôle dicté par sa tante, séduisait Clarisse, puis la repoussait, jouait cette comédie de la main paralysée. Et le sang provenait d'une petite entaille qu'il s'était faite à la main, pour donner un côté grand-guignolesque à la scène. Cela ne correspondait-il pas parfaitement aux idées bizarres de la vieille dame ?

A une de ses heures perdues, Clarisse avait lu le roman de Lady Chalgrove que Trevor lui avait demandé de lire : *Rêverie amoureuse*. Ce n'était pas si différent de ce qu'elle venait de vivre. Il y avait aussi du sang, des phénomènes inexplicables, des trahisons et l'intrigue se déroulait dans une maison hantée, pleine de bruits et de rideaux qui bougent...

Clarisse se retourna vers la vieille dame et lui demanda, comme pour faire diversion :

— Belmount House est-elle une maison hantée ?

— Grâce au Ciel, oui, bien entendu, comme toute vieille maison anglaise qui se respecte !

8

— Belmount House a été construite, sous le règne d'Elisabeth Ire, sur les ruines d'un château fort où, dit la légende, le roi Henry II venait retrouver sa maîtresse qu'il adorait, la belle Rosamund, la fille de Lord Walter de Clifford. Le roi était si amoureux qu'il rendit sa liaison publique, et qu'il fit deux enfants à sa maîtresse, avant que celle-ci soit assassinée. Par la reine Eléonore de Guyenne, pense-t-on.

« Il reste un pan de cet ancien château fort, le mur de la tourelle qui donne sur la rivière. Vous remarquerez que la pierre, bien que grattée et consolidée, paraît considérablement plus vieille.

— En effet, dit Clarisse. Cela m'a toujours étonnée.

— Eh bien lorsque, en 1808, on entreprit de rénover la maison, les ouvriers découvrirent le squelette d'un enfant. Une petite fille d'environ trois ans...

— Mon Dieu, quelle horreur !

— Pendue par les pieds comme un saucisson de Lyon et emmurée vive, probablement, ajouta Lady Chalgrove avec désinvolture.

— Mais c'est abominable ! s'écria Clarisse.

— Assez, oui. Et c'est probablement aussi sur les ordres de la reine Eléonore que cette monstruosité a été commise. La légende dit que cette petite fille serait le troisième enfant que la pauvre Rosamund aurait eu du roi. L'aimant comme il l'aimait, il aurait reconnu cette enfant. Or l'histoire ne dit rien de cette petite fille.

— Elle serait l'enfant d'un autre, alors ?

— Oui. La belle Rosamund aurait été infidèle au roi. N'oubliez pas que ce n'était pas une sainte. Souvenez-vous de l'inscription gravée sur sa tombe.

— Oui, je m'en souviens très bien : « Dans cette tombe repose Rosamund, la Rose du Monde, la belle, mais pas si pure. »

— C'est exact.

— Dans ce cas-là, hasarda Clarisse, il se peut très bien que ce soit le roi lui-même, qui, fou de jalousie et de fureur, ait fait emmurer cette enfant d'un autre.

— C'est probable. Autant faire tourner les tables ou consulter la boule de cristal. Nous n'en saurons rien.

— Belmount House serait donc hantée par cette enfant ?

— Non, non pas du tout. Plutôt par la pauvre Rosamund qui viendrait errer ici, à la recherche de sa petite fille. Dans les archives de la maison, on retrouve souvent les témoignages de gens qui jurent avoir vu, la nuit, une femme sublime, aux longs cheveux blonds glisser dans l'escalier en tenant dans ses bras un squelette qu'elle berce.

— Vous me faites marcher, fit Clarisse.

— Tous les témoignages concordent : la jeune femme sort de la maison et se dirige vers la rivière en poussant des plaintes à fendre l'âme. Il paraîtrait que, souvent, un parfum de jasmin subsiste sur son sillage, et qu'on peut le respirer particulièrement les nuits de pleine lune.

Quelle histoire ! Clarisse demanda timidement à Lady Chalgrove :

— Mais vous-même, avez-vous déjà vu ce fantôme ?

La romancière éclata de rire :

— Oh, là, là, et comment ! Des dizaines de fois. C'est mon esprit familier, il me tient compagnie. Je lui parle.

— Et elle vous répond quand vous priez sur sa tombe, n'est-ce pas ? Est-ce pour cela que vous allez à Godstow si souvent ?

— C'est pour cela, ma belle : je la console, je l'apaise, je prie pour elle et, en retour, elle m'inspire. Excellente association. Nous nous entendons fort bien, elle et moi. Et il n'est d'ailleurs pas exclu que je sois une de ses descendantes.

— Comment cela ?

— Des deux fils reconnus par le roi, l'aîné, Geoffrey, devint archevêque d'York, et le cadet, William Longsword, comte de Salisbury, fut l'amant d'une de mes ancêtres : Anna Dittron.

Clarisse regardait la vieille dame, les yeux écarquillés.

« Elle est totalement folle », se dit-elle. Lady Chalgrove lut dans ses pensées.

— Non, ma petite, je ne suis pas folle du tout, mais, comme dit mon neveu : « Ne tuons pas le grand Pan. » J'aime croire à ces histoires. Le Fantastique m'a toujours plu, il berce mes journées. Ça ne fait de tort à personne, et moi, cela m'amuse. Quand j'aperçois, la nuit, les lumières d'un avion qui descend vers l'aéroport, je préfère penser que c'est une étoile qui tombe sur la terre. Je transpose les réalités. C'est tellement moins décevant.

Lady Chalgrove demanda à Clarisse de lui raconter la soirée au bal.

— Dites-moi tout. Faites-moi rêver.

Ce fut un supplice pour la pauvre Clarisse qui aurait voulu effacer jusqu'au plus petit souvenir de cette horrible soirée.

Surmontant ses frayeurs et sa tristesse, Clarisse fit un récit circonstancié du bal. Elle parla des masques, des déguisements, d'Ambrose, de la belle métisse, et, entrant malgré elle dans le jeu de la romancière, elle se surprit, elle aussi, à transposer, à broder sur les faits, à imaginer ce bal plutôt qu'à en donner un compte rendu exact et froid. Elle se surprit à embellir la métisse, à l'évoquer plutôt comme une apparition que comme une créature réelle.

« Effet de la jalousie », pensa-t-elle, avec un pincement au cœur.

Quand elle prit congé de la vieille dame, celle-ci avait
la matière d'un chapitre du roman dont elle lui avait lu
des extraits tout à l'heure.

Mais, si Lady Chalgrove avait voulu savoir quelque
chose sur Trevor et Clarisse, elle avait dû être déçue,
car la jeune fille n'avait pas soufflé mot sur le dernier
épisode de ce bal.

Clarisse fut soulagée de quitter Belmount House, et
s'enfuit presque, pour trouver un endroit plus propice à
l'étude, en serrant ses livres de chinois sous son bras.

La légende de Fair Lady Rosamund faisait surgir
dans sa mémoire les soirées passées dans le château
familial. Elle se souvint des histoires d'outre-tombe
qu'Héloïse, la vieille bonne, lui racontait à elle et à ses
frères, dans la haute lingerie. Tout en repassant ou en
tirant l'aiguille, Héloïse faisait surgir de l'ombre un
passé effarant et, en l'écoutant la bouche ouverte,
Clarisse croyait entendre errer les fantômes dans les
escaliers de pierre. De quelle atmosphère frissonnante
et merveilleuse le château s'emplissait pour elle au
milieu de la nuit, dans les hauts greniers, et dans les
interminables corridors ! Surtout quand venait l'automne, avec ses vents et ses pluies qui faisaient pleurer
les grands arbres glacés du parc.

Le soir, en se couchant, Clarisse regardait sous son lit
pour voir si quelque diable ne s'y cachait pas, et,
enfouie sous ses couvertures, elle guettait les lueurs des
tisons qui achevaient de se consumer pour voir apparaître les créatures qui allaient peupler ses nuits. Elle
tendait l'oreille pour entendre les coups qui allaient
résonner derrière les murs et pour entendre, dans le
lointain, les aboiements lugubres des grands chiens
noirs, sous la lune.

Mais cela faisait longtemps que Clarisse avait
reconnu le hululement des hiboux dans les lamentations

des sorcières et le trottinement des rats dans les danses macabres des fantômes.

« Je ne vais tout de même pas retomber en enfance », se dit-elle tout en marchant d'un pas vif.

Pourtant, en traversant Port Meadow, cette vaste lande qui s'étend à la sortie d'Oxford quand on quitte Kingston Road par un chemin tortueux, Clarisse ne savait plus quel âge elle avait.

Cette étendue déserte où paissent des chevaux sauvages à la crinière opale et où, dit-on, poussent des champignons hallucinogènes, ravivait toutes les fantasmagories.

Un gitan jouait un air de flûte mélancolique au bord de la rivière qui serpentait au milieu de la lande. Le vent, comme le souffle d'un cyclope, exhalait les notes expirantes d'une furia d'équinoxe. Les cloches, prisonnières des beffrois gothiques, égrenaient l'heure sur plusieurs tons. La brume s'élevait, faisant apparaître, une par une, les aiguilles de pierre.

Le spectre de Lady Rosamund se serait dressé à côté de Clarisse en cet instant, qu'elle n'aurait pas été étonnée.

— Les histoires de ma tante vous montent à la tête, avait dit Trevor, le soir de son arrivée.

Avait-il raison ? Mais c'était Oxford, également, qui lui montait à la tête. La magie qui s'en dégageait devait tourner l'esprit à tous ceux qui y habitaient. « A commencer par Trevor, Lady Chalgrove et même sûrement Jaï Shankar, le locataire, avec ses interminables poèmes. Celui-là aussi est curieux », songeait Clarisse.

Elle arriva à Saint Anthony's College, et s'installa à la bibliothèque, bien résolue à travailler d'arrache-pied et à oublier toutes les sornettes qui embrumaient son cerveau. Elle chercha Ambrose des yeux : il n'y était pas.

Elle ne leva pas le regard de son livre pendant trois heures, se rendit à son cours, revint à la bibliothèque et n'en sortit que pour le traditionnel mauvais café de six

heures qu'elle alla, comme d'habitude, prendre à
l'*Osiris*.

Elle était particulièrement contente de voir qu'Ambrose l'attendait :

— Bonjour, dit-elle. Je viens prendre ma deuxième
leçon d'accent d'Oxford.

Ambrose sourit.

— Qu'importe la raison qui vous amène, pourvu que
je vous voie, plaisanta-t-il.

Il se leva pour aller chercher deux tasses de café et
revint s'asseoir en face d'elle :

— Vous avez fait des conquêtes, hier au soir, lui dit-il. Ce matin, cinq de mes amis m'ont arrêté dans la rue
pour me demander quelle était la ravissante créature
avec laquelle je dansais.

— Ah ! bon, fit Clarisse en feignant l'étonnement.

— Ne faites pas l'innocente. Vous savez très bien
l'effet que vous produisez sur les hommes.

L'effet qu'elle produisait sur les hommes : ah oui,
elle le savait, depuis hier, justement. Elle leur paralysait les mains, elle les ensanglantait, et ils la traitaient
de sorcière.

Elle revit le regard de Trevor, lors de leur rencontre,
quand il l'observait, disait-il, avec les yeux de l'anthropologue.

Sa voix était triste, quand elle répéta les paroles
entendues ce soir-là, et qui étaient restées gravées dans
sa mémoire.

— J'ai du sang hongrois. Un homme m'a dit :
« Méfiez-vous des femmes hongroises. Elles traînent
avec elles Dieu sait quelle magie fatale aux hommes.
Elles sont arrachées hors du temps comme les mandragores sont tirées du sol, et, la nuit, elles s'envolent. »

Ambrose était sous le charme :

— Mais c'est merveilleux, Clarisse. C'est tout ce que
les hommes aiment.

— Les hommes ont peur des femmes comme moi,
Ambrose.

— D'abord vous n'êtes pas ainsi, et puis je vous assure que vous ne me faites pas peur.

Clarisse regarda le jeune homme et ses yeux s'embuèrent. Elle était triste à nouveau, et le cauchemar de la veille revenait, lancinant. Elle soupira, et chercha une cigarette dans son sac ; elle l'alluma fébrilement.

— Ça ne va pas ? s'inquiéta Ambrose en posant timidement sa main sur le poignet de la jeune fille.

Elle n'allait pas encore éclater en sanglots. Ce serait trop bête. Et pourtant, cela serait si doux de s'épancher et de pleurer sur cette épaule amicale.

— Oh ! Ambrose, faites quelque chose. Faites-moi rire. J'ai l'impression de devenir folle. Je n'en peux plus.

— Qu'est-ce qui vous est arrivé ?

— Je ne peux pas vous le dire. Vous n'y croiriez pas. C'est tellement invraisemblable !

Ambrose la regarda, étonné :

— Invraisemblable ?

— Oh ! oui, soupira-t-elle.

Elle se cacha la tête dans les mains, et un long frisson la parcourut. Ambrose la regarda avec admiration : Dieu qu'elle était belle, et qu'il avait envie de la protéger ! Depuis qu'il l'avait rencontrée, son visage le suivait partout.

Tout lui plaisait chez Clarisse : sa beauté, sa voix, son esprit. Les premiers jours, il avait joui en paix de l'amitié qu'elle lui offrait, mais maintenant, un sentiment plus fort était venu tout gâcher, quand il ne le transportait pas au Ciel dans des moments d'espoir fou. L'étudiant studieux était tombé éperdument amoureux pour la première fois de sa vie.

N'y avait-il pas de la folie, et même du ridicule, à croire qu'elle aussi pouvait tomber amoureuse de lui ? Cette pensée lui gâtait ses journées, toutefois il n'avait plus le choix, il devait tenter sa chance auprès de Clarisse.

— Clarisse ! dit-il d'une voix qu'il voulait enjouée. J'ai une idée : si vous téléphoniez à votre logeuse pour lui dire que vous ne rentrerez pas dîner ce soir ? Je connais un petit restaurant indien, dans Kingston Road, où l'on mange les meilleurs currys de la ville, et avant, je vous emmène au cinéma : on joue *Ivan le Terrible*.

Son regard brillait d'espoir.

Clarisse réfléchit un instant. En fait, elle n'était jamais sortie de Belmount House, et elle y avait dîné tous les soirs, sauf la veille. Lady Chalgrove ne lui avait-elle pas donné congé pour toute la journée ?

— Excellente idée, dit-elle. Vous êtes si gentil, Ambrose. Votre proposition me fait vraiment plaisir.

Ambrose marchait sur des nuages quand ils sortirent de l'*Osiris* en devisant gaiement.

« Il est sept heures. Sept, huit, neuf, dix, onze : peut-être vais-je avoir Clarisse trois ou quatre heures pour moi tout seul », pensait-il, ravi.

L'impression produite par le chef-d'œuvre d'Eisenstein sur Clarisse fut si forte qu'en sortant de la salle, elle avait oublié tous ses soucis.

— Il est bon de voir de grandes choses. Elles vous élèvent l'âme, dit-elle à Ambrose. Merci, vous avez embelli ma journée.

— Tant mieux, répondit-il en riant. Et maintenant, allons dîner. Si Eisenstein vous a élevé l'âme, il m'a creusé l'estomac.

Le *Taj Mahal* se trouvait au bout de Kingston Road. Une petite porte en arche festonnée s'ouvrait sur la salle de restaurant recouverte d'arabesques bleues et or. Des lumières tamisées par des abat-jour rouges étaient posées sur des colonnes recouvertes d'étoffe de faux cachemire.

Un grand barbu enturbanné les conduisit à une petite table loin des cuisines qui dégageaient une forte odeur de cucurma et de piment.

— Ce doit être un Sikh, dit Ambrose à l'oreille de Clarisse en désignant le serveur.

— Un quoi ?

— Un Sikh. Les Sikh sont de farouches guerriers du

Penjab renommés pour leur courage, et dont l'aspect fait fuir leurs ennemis. Ils n'ont pas le droit de se raser, et vous remarquerez que celui-ci a enfermé sa barbe dans une fine résille.

— En effet, mais pourquoi?

— C'est un de leurs signes distinctifs. Au cours de leur initiation, les Sikh jurent de porter les cinq symboles de leur secte : cheveux et barbe non coupés, peigne fixé dans les cheveux, shorts militaires, bracelet de fer au poignet droit et sabre au côté. Notre serveur a remplacé le sabre par un torchon de cuisine. Signe des temps : voilà, Clarisse, pour votre éducation. Et maintenant, passons aux choses sérieuses.

Il présenta le menu à la jeune fille, et au bout de plusieurs minutes, ils arrêtèrent leur choix sur un *dahi vadda* — des boulettes de lentilles frites au yaourt —, un *adrak chatni* — chutney au gingembre frais —, suivi de deux *badami gosht* — agneaux de lait à la noix de coco et au massala d'amandes, la spécialité de la maison.

— Et pour arroser ce festin, une bouteille de chambolle-musigny, dit Ambrose au maître d'hôtel. Tout de suite, s'il vous plaît, nous avons très soif.

Le Sikh s'inclina respectueusement et disparut à la cuisine.

— Alors, c'est la fête, fit Clarisse, amusée et ravie. Du chambolle-musigny! Vous me gâtez!

— Evidemment, c'est la fête, puisque vous êtes là, en face de moi, pour au moins deux heures. Je vous ai fait choisir, perfidement, des plats qui sont terriblement longs à préparer.

Clarisse éclata de rire :

— Vous êtes drôle!

— Je ne suis pas drôle. Je suis heureux.

Il leva un regard tendre sur Clarisse :

— Pour un temps hélas trop court.

Clarisse ne pouvait pas faire celle qui ne comprenait pas. Tous les gestes, tous les regards d'Ambrose le trahissaient. Il était amoureux, lui aussi, comme on l'est pour la première fois, sans réserve, avec un cœur neuf. Et elle avait entretenu ce sentiment. Elle avait vu Ambrose tous les jours, avait accepté d'aller avec lui au bal et avait dansé avec lui presque toute la soirée, sans hésiter, pourtant, à l'abandonner pour Trevor.

— Ambrose, dit-elle gentiment. Ne soyez pas trop romantique.

— Je suis exactement dans l'état d'esprit des étudiants d'Oxford quand ils virent arriver Zuleika Dobson.

— Qui était-elle ?

— L'héroïne d'un roman de Max Beerbohm. Une femme dévastatrice qui faisait pleurer les bustes de pierre du musée et qui provoqua le suicide massif de tous les étudiants.

— Et vous êtes prêt à me dire : « Si vous ne m'aimez pas, je me jette dans la rivière. » N'est-ce pas ?

Ambrose sourit :

— Non, jamais je ne vous dirai des choses pareilles, même si un jour, il m'arrive de le penser. Ce serait un horrible chantage. Si vous ne m'aimez pas, tant pis. Et si vous m'aimez... Eh bien...

— Eh bien quoi ?

Ambrose prit une grande gorgée de chambolle-musigny, respira profondément, se redressa de toute sa taille, et dit, avec une audace dont il n'aurait jamais pensé qu'il pût faire preuve :

— Eh bien, c'est tout simple. Si vous m'aimez, je vous épouse, immédiatement. Je me lève d'ici pour aller envoyer un télégramme téléphoné à madame votre mère. Nous finissons cette excellente bouteille, j'envoie sous pli urgent une demande à la mairie de ma ville natale pour recevoir par retour du courrier mon extrait de naissance. Je fais publier les bans demain. Je cours à Wimbledon pour jouer le tiercé. Ce sera la première fois de ma vie. Avec ce que je gagnerai, car je gagnerai, je me précipite à Londres, chez Van Cleef et Arpels pour vous acheter la plus belle émeraude ou le plus beau diamant. Ce que vous préférez. Je vais ensuite dans l'église de Black Friars mettre un cierge à la Vierge pour que vous ne changiez pas d'avis. J'écris un poème sur vous, long de cent pages.

En voilà une déclaration ! Clarisse était stupéfaite et émue. Elle n'aurait jamais cru Ambrose capable d'une telle fougue.

— C'est tout ? demanda-t-elle en souriant.

— Je grimperai sur le toit de Christ Church pour déclamer du Shakespeare. J'enverrai des douzaines de roses à votre mère et à la mienne. J'inviterai la serveuse de l'*Osiris* à danser. Je marcherai dans les rues en respirant profondément pour calmer les battements de mon cœur, pour qu'il n'éclate pas, je... je...

Il s'arrêta tout d'un coup, ses épaules s'affaissèrent et il porta d'un geste las son verre à ses lèvres :

— Et puis, et puis, je n'y croirai pas. Je ne suis pas assez stupide pour croire qu'une femme puisse être folle de moi.

Que dire ? Que répondre à cette déclaration, qui, si elle n'était pas inattendue par le fond, l'était par la forme ? Quelle flamme ! Quelle passion ! Et maintenant, d'un mot, Clarisse pouvait détruire toutes les illusions d'Ambrose, lui faire mal, comme elle, hier, avait eu mal. Elle n'en avait pas le courage.

— Eh bien, biaisa-t-elle, je croyais que les Anglais étaient froids, mais apparemment, je me suis trompée.

Elle effleura amicalement, la main du jeune homme :

— Ambrose, c'est trop tôt pour parler de cela. Je suis très jeune, je vous aime beaucoup... et puis, il faut que vous finissiez vos études.

Quels piètres arguments ! Qu'aurait-elle dit si c'était Trevor qui lui avait fait cette déclaration ?

Elle n'y aurait pas cru. Les rôles auraient été inversés : qui était-elle pour croire qu'un homme comme Trevor pouvait tomber amoureux d'elle ?

Et pourtant ! Y avait-il une telle différence entre Ambrose et Trevor ? Pourquoi était-il acceptable qu'Ambrose soit amoureux, et pourquoi était-il impensable que Trevor le fût ?

La réponse était simple : on n'ose jamais imaginer que ce qu'on souhaite ardemment puisse se réaliser.

Voilà! Clarisse avait énoncé clairement dans son esprit ce qu'elle voulait à tout prix en chasser, et qui était pourtant son vœu le plus cher.

— Ce que je souhaite ardemment, s'entendit-elle dire, c'est réussir mes examens. Revenir chez moi avec un métier, un diplôme en poche, et prouver à ma famille que les filles ne sont pas tout juste bonnes à marier. Après, Ambrose, je verrai!

Décidément, elle accumulait les banalités. Ambrose n'était pas assez bête pour se laisser bercer par des consolations aussi dérisoires.

— Je vous en prie, Clarisse, j'ai compris. Vous ne m'aimez pas, c'est clair!

Rien n'était moins clair dans l'esprit de Clarisse. Elle se sentait bien avec le jeune étudiant, elle riait, elle avait plaisir à être avec lui, et elle était calme. N'était-ce pas cela, l'amour? Ce sentiment tendre et doux, cette confiance absolue en l'autre, cette certitude qu'il ne vous trompera pas et qu'il sera toujours à vos côtés? Comme son père l'avait été avec sa mère. Elle se souvint des paroles de M. de Lignancourt :

— C'est une amitié tendre qui cimente l'amour.

Cette tendre amitié, elle l'éprouvait pour le jeune homme en face d'elle qui la regardait avec des yeux si limpides.

Le bonheur était peut-être pour elle dans les bras de cet homme pour lequel elle serait tout.

— Ce que j'éprouve pour vous est précieux, dit-elle en lui souriant avec tendresse.

Le visage d'Ambrose s'illumina :

— Vous verrez, déclara-t-il avec un enthousiasme d'enfant. Je vous inventerai des histoires, je vous ferai rire. Je partirai pour que vous me regrettiez, je deviendrai le premier économiste d'Angleterre, je froncerai les sourcils pour paraître plus vieux et vous serez bien forcée de m'aimer. Voilà. J'ai décidé!

Clarisse éclata de rire, et le reste du dîner se passa

dans la joie, à regarder les pitreries d'Ambrose qui était un merveilleux imitateur. Clarisse ne vit pas le temps passer :

— Minuit, déjà ! s'écria-t-elle avec surprise. Il faut que je rentre.

Et elle ajouta, sincère :

— C'est la meilleure soirée que j'aie passée depuis que je suis à Oxford.

Il la laissa à la grille de Belmount House, et là, une angoisse envahit la jeune fille quand elle le vit s'éloigner.

Elle le rappela :

— Ambrose ! Ambrose !

— Oui ? fit-il trop content de voir qu'elle ne voulait pas se séparer de lui.

— Si jamais quelque chose m'arrive, si... si j'ai besoin de vous, je peux vous appeler ? Vous viendrez, n'est-ce pas ?

— Mais que voulez-vous qu'il vous arrive ? Avez-vous peur de quelque chose ?

Il lui prit les mains et s'aperçut qu'elle tremblait :

— Clarisse, dites-moi ce qui ne va pas ?

— Oh, rien ! Une prémonition. Des peurs stupides. Mais c'est vrai, n'est-ce pas, que vous viendrez ?

Elle baissa les yeux, gênée tout d'un coup, ne pouvant formuler ses appréhensions :

— C'est cette maison qui m'inquiète, cette vieille dame, et Trevor. Ils sont tous tellement bizarres.

Elle se força à sourire et poursuivit d'une voix plus assurée :

— Ne prenez pas garde à ce que je vous dis. Je suis un peu nerveuse, voilà tout. Allons. Au revoir. Et encore merci.

Elle quitta la grille et disparut dans le jardin en courant, comme si elle était effrayée des ombres de la nuit. Elle ouvrit la porte et grimpa quatre à quatre l'escalier qui menait à sa chambre. Là, elle alluma toutes les lumières.

Au fond du couloir, dans la chambre de l'évêque, Trevor, qui commençait à s'endormir, fut brusquement arraché de son sommeil par un cri déchirant qui perça la nuit.

9

Deux oiseaux morts, les yeux crevés par des aiguilles, se balançaient aux solives du plafond. Ils étaient pendus par les pieds.

C'était trop. Son cœur allait éclater. Et elle était là, seule, dans cette maison hostile, sans amis, sans recours.

Elle s'abattit sur une chaise, et c'est alors qu'elle remarqua un papier blanc, bien en évidence sur la cheminée. Les mains tremblantes, elle le saisit et lut :

> « Quiconque a surpris le secret
> « Des grands oiseaux noirs de la nuit
> « Doit se taire à jamais... »

Elle restait immobile, paralysée, les yeux rivés sur ce papier, quand la porte s'ouvrit.

— Qu'est-ce qui se passe, Clarisse ? Est-ce vous qui avez crié ? Ah, mon Dieu, quelle horreur, ces oiseaux ! Ainsi, vous aussi. Non. Ils n'ont pas osé. Ce n'est pas possible...

C'était bien la voix de Trevor que Clarisse entendait. C'était bien lui qui la secouait par les épaules, qui courait dans la salle de bains, revenait avec un verre d'eau qu'il l'obligeait à boire, et qui, maintenant, la berçait dans ses bras :

— Ma pauvre petite ! N'ayez pas peur. Calmez-vous. Je vous en prie, ce n'est rien, je vous expliquerai. Tout cela est ma faute... Ah ! Si j'avais su !

Clarisse hoquetait :

— Comment, c'est votre faute ! Est-ce une de vos

sinistres blagues ? Vous êtes un monstre. Partez. Je n'ai pas peur de vous !

Elle hurlait et repoussait le jeune homme de toutes ses forces. Elle ne pouvait plus se contrôler, la terreur était plus forte qu'elle.

La gifle violente que Trevor lui envoya la calma un peu :

— Je suis désolé, s'excusa-t-il, mais il fallait employer les grands moyens.

Il lui prit la tête dans les mains, posa un baiser sur ses lèvres, puis il dit, doucement, à son oreille :

— Ecoutez, Clarisse, tout ce qui se passe est grave. Ce n'est pas, comme vous le pensez, une sinistre plaisanterie. Alors, je vous en supplie : écoutez-moi.

Clarisse leva les yeux vers lui. Il avait l'air sincère, et même inquiet. Deux grandes rides s'étaient creusées entre ses sourcils.

— Obéissez-moi. Restez dans votre chambre, tous volets et toutes portes fermés. Et surtout, n'ouvrez à personne, sous aucun prétexte. Ni au locataire indien ni au valet de chambre. Et si ma tante vous appelle parce qu'elle a entendu du bruit, ne descendez pas non plus. Je pars et je reviens tout de suite. Dans une demi-heure au plus tard.

Clarisse, affolée, frissonna à l'idée de rester seule.

— Et ces oiseaux ? demanda-t-elle, en levant un regard peureux vers le plafond.

Trevor saisit la paire de ciseaux qui traînait sur la table de nuit et, d'un geste rageur, coupa la ficelle qui retenait les oiseaux, jeta ceux-ci rageusement dans la cheminée, et sortit.

— N'oubliez surtout pas ce que je vous ai dit et ayez confiance. Je suis là. Rien ne vous arrivera. A tout de suite.

Quand il referma la porte derrière lui, Clarisse eut l'impression qu'elle était perdue. Elle tira les verrous de l'intérieur et s'assit sur son lit pour attendre.

Clarisse passa plusieurs abominables minutes ainsi, les yeux sur le plafond où elle croyait toujours voir les oiseaux noirs se balancer et sur l'horloge dont les aiguilles tournaient lentement, si lentement... Elle comprenait enfin le sens de cette expression qui lui avait toujours paru exagérée : une minute longue comme un siècle. Le temps s'était arrêté. Crispée, le front moite, elle serrait fiévreusement ses doigts sur ses genoux et tendait l'oreille vers les bruits de la nuit. Elle avait entendu démarrer la vieille Austin de Trevor, il y avait combien de temps ? Cinq minutes ? Une demi-heure ? Maintenant la nuit se remplissait de bruits menaçants, une fois de plus. Il lui semblait voir la clef grincer et tourner dans la serrure. Il lui semblait que le vent soufflait plus fort qu'à l'habitude.

Elle respirait longuement, bruyamment pour retrouver son calme et ses forces. Tout prenait corps et devenait un danger dans la solitude de cette chambre trop grande, aux meubles trop vieux ; partout, de tous les recoins, une âme noire et terrible s'agitait pour la torturer.

— Je dois avoir confiance en lui, se répétait-elle. Trevor va revenir maintenant d'une minute à l'autre. Il va frapper à la porte. Je vais le voir rentrer. Et le cauchemar sera terminé.

Mais il ne se terminait pas. Maintenant, la grande aiguille marquait une heure vingt sur le cadran de la pendule. Cela faisait donc sûrement une heure qu'il était parti. Et il avait dit qu'il serait de retour au plus tard dans une demi-heure. Que s'était-il passé ? Où était-il allé ? Dans quel endroit mystérieux ? Il ne lui avait rien dit, ne lui avait donné aucune explication. Que tout ce mystère était donc angoissant !

Si au moins elle pouvait dormir. Elle était si fatiguée. Elle ferma les yeux et posa sa tête sur l'oreiller.

Des oiseaux noirs aux yeux crevés volaient dans la pièce, et leurs grandes ailes frôlaient le visage de Clarisse. Trevor, penché sur elle, l'embrassait passionnément, en lui répétant : « Chérie, chérie, n'aie pas peur, ils ne te feront pas de mal. » Dans un coin de la pièce, Lady Chalgrove ricanait en chantonnant :

— Quiconque a surpris le secret des grands oiseaux noirs de la nuit doit se taire à jamais.

Jaï Chankar hochait la tête en arpentant la chambre et Ambrose, tenant une brassée de roses dans une main, pourfendait Trevor avec un sabre qu'il tenait dans sa main droite.

— Ne le tuez pas, ne le tuez pas !

Clarisse se réveilla en sursaut et se dressa sur son séant ; elle regarda autour d'elle. Elle était seule et la grande aiguille, maintenant, marquait deux heures dix.

D'un bond elle sauta de son lit et alla se tremper la tête sous le robinet.

Il fallait faire quelque chose. Appeler la police. Réagir. Trevor était sûrement en danger, lui aussi. Tant pis. Elle allait sortir et courir chez Ambrose pour lui demander son aide, et tout lui raconter. Elle ne pouvait faire face toute seule à cette situation.

Elle chaussa une paire de bottes dans lesquelles elle se sentait prête à affronter n'importe quelle distance, enfila un gros pullover et se dirigea vers la porte. Elle tourna la clef avec mille précautions, ouvrit sans faire de bruit. C'était le silence et le noir complet dans le vestibule et dans l'escalier qu'elle descendit à tâtons, en s'accrochant à la rampe.

La console, la grande table de l'entrée, le porte-parapluie : elle avait évité tous les obstacles et refermé sans bruit la porte d'entrée. Le froid de la nuit la surprit quand elle se retrouva dans le jardin. Elle regarda autour d'elle. Rien. Elle resta immobile quelques instants, dans l'espoir d'entendre le rassurant ronronnement d'un moteur, ou d'apercevoir une lumière de phares. Puis elle s'avança lentement sur le gravier crissant de l'allée. A ce moment, elle entendit un bruit derrière elle, et se retourna, le cœur battant.

Elle tendit l'oreille. Rien. Elle reprit sa marche, hâtant le pas vers la grille du jardin, quand tout d'un coup une mélopée s'éleva dans la nuit. Elle s'arrêta.

Non, elle ne rêvait pas. Elle entendait distinctement des modulations étranges et, malgré elle, malgré sa terreur, elle ne pouvait bouger. Elle tendit l'oreille, fascinée par ce qu'elle entendait, par ces notes plaintives, d'une infinie mélancolie. C'était comme une sorte d'appel poussé dans le ciel. Un irrésistible appel, d'une beauté déchirante. D'où venait-il? De nulle part et de partout. De tous les coins du jardin, il s'éloignait, se rapprochait, pour envelopper Clarisse.

Elle aurait dû aller jusqu'à la grille, l'ouvrir, et courir à toute vitesse sur la route pour aller chercher Ambrose ou retrouver Trevor, mais elle ne le put pas.

« Je dois ouvrir la grille et courir à toute vitesse sur la route, pour aller chercher Ambrose. Où habite-t-il déjà : 39 Little Clarendon Street, ou 839 Beaumont Street? Mon Dieu, quelle horreur, je ne m'en souviens pas. Et cette musique, où l'ai-je déjà entendue? Qu'est-ce qui chante comme ça? Quelqu'un m'appelle... Quelqu'un m'appelle. Je dois y aller », pensa-t-elle.

Elle s'entendit prononcer :

— J'arrive. Où êtes-vous?

Et au lieu d'ouvrir la grille, Clarisse retourna sur ses pas et marcha, comme un automate, vers le son mystérieux qui semblait s'être éloigné. Elle contournait la maison, s'enfonçait entre les hauts massifs de rhododendrons. Elle se rendait compte qu'elle agissait, mue par une force mystérieuse, prenant la direction opposée à celle que sa volonté essayait de lui dicter. Cette dernière, dans un sursaut, lui dicta :

— Retourne-toi, retourne-toi. Fuis, tant que tu le peux encore...

Mais Clarisse s'enfonçait dans l'obscurité, descendait une à une les marches du jardin en espalier, l'oreille tendue, fascinée. Elle était attachée à cette voix comme par un fil invisible.

La mélopée la prenait au cerveau, la grisant et l'énervant. Il fallait qu'elle aille jusqu'à elle, qu'elle la rejoigne. Elle était entraînée par l'hypnose.

— Où êtes-vous, où êtes-vous ? chuchotait-elle dans le noir, en tournant la tête de tous côtés.

Tout d'un coup, il y eut un froissement de branches et, au détour d'une allée, une forme apparut : une silhouette longue et blanche qui glissait lentement vers la rivière, en chantant.

Clarisse eut l'impression que son cœur flottait, qu'il s'était détaché de sa poitrine, et elle s'arrêta, paralysée.

— Mon Dieu, c'est elle. Alors, tout cela est vrai.

Elle entendait, comme dans un écho, la voix de Lady Chalgrove : « Une femme sublime avec de longs cheveux. Elle se dirige vers la rivière en poussant des plaintes à fendre l'âme. »

Fair Lady Rosamund, morte depuis neuf siècles, là, à quelques mètres d'elle, forme spectrale glissant vers la rivière...

— ... Tous les témoignages concordent... poursuivait dans son esprit la voix de Lady Chalgrove.

Oh ! cette vision d'outre-tombe dans ce décor blafard, sous les pâles rayons de la lune, dans le vent qui secouait les gouttes pleurant aux branches des saules.

L'esprit de Clarisse avait basculé tout d'un coup, dans la folie et le rêve. Maintenant, les forces du mal avaient accompli leur œuvre : elle était incapable de retourner en arrière et en avait perdu tout envie.

Elle courait pour rejoindre cette vision, descendait aussi vite qu'elle le pouvait les inégales marches de pierre, tombait, se relevait. Maintenant, elle était arrivée au bord du petit torrent qui coulait en bas du jardin, les oreilles bourdonnantes de ces plaintes, les yeux remplis de cette vision qui apparaissait, se dérobait, semblait reculer sur elle-même. Tout d'un coup, le spectre disparut.

— Par ici, par ici, psalmodia la voix mélodieuse.

— J'arrive... Attendez-moi. Je ne vous vois pas.

— Plus près...

La voix semblait sortir de la rivière. Clarisse se déchaussa pour mettre les pieds dans l'eau. Elle ne sentait plus le froid vif et, inconsciente des tourbillons de la rivière, elle s'avança, de plus en plus loin. L'eau arrivait maintenant jusqu'à ses mollets.

— Il ne fait pas froid. L'eau est chaude et bonne. Avance encore. Tu verras, ce n'est pas difficile, disait la voix...

Clarisse avançait dans la rivière, luttant contre le courant, se retenant aux rochers pour ne pas tomber. L'eau lui arrivait aux hanches. Les remous et les tourbillons la faisaient vaciller.

— Ce n'est rien, chantait la voix. Tu es sur un pont. Un pont invisible suspendu au-dessus de la rivière. Tu ne risques rien. Je t'attends, sur l'autre rive. Viens, viens, j'ai besoin de toi.

Oh! cette plainte irrésistible, lancinante.

Hypnotisée, Clarisse résistait aux tourbillons. Elle était trempée des pieds à la tête, et ses jambes, paralysées par le froid, dérapaient sur les roches glissantes. Les violents remous lui faisaient perdre l'équilibre, et elle n'avait plus de forces; elle se laissait happer par le courant, envelopper dans le flot torrentiel. Et elle n'avait pas peur, apaisée par la voix, là-bas, de l'autre côté.

Elle avançait centimètre par centimètre. Bientôt, elle serait au milieu de la rivière, au centre du tourbillon qu'elle apercevait, à moins d'un mètre. L'eau lui arrivait au menton, et elle devait se hisser sur la pointe des pieds pour tenir la tête hors de la rivière. Des giclées d'eau la frappaient au visage de mille aiguillons glacés qui entrèrent dans sa bouche et dans ses narines. Elle suffoqua, incapable de respirer.

— Encore un pas, encore quelques centimètres. Tu y es, tu m'as presque rejointe. Laisse-toi aller, maintenant. Lève ton pied du rocher, laisse-toi porter par le courant.

Encore un pas. Les membres glacés de Clarisse ne répondaient plus. Ses jambes pesaient une tonne, l'eau l'étouffait. Encore un pas. Son pied glissa et tout son corps fut emporté en avant, dans le tourbillon.

A ce moment, un rire sardonique fusa dans la nuit.
Un rire en cascade, qui rebondissait.

Un rire d'outre-tombe.

10

Après avoir quitté Clarisse, à minuit et demi exactement, Trevor avait sauté dans son Austin et avait démarré en trombe.

Il n'avait pas une minute à perdre.

Ainsi, tous les soupçons qui l'avaient assailli depuis son arrivée à Oxford étaient bien fondés. Au début, lorsqu'il s'était fait heurter par une voiture, à la gare, alors qu'il hélait un taxi, il n'avait voulu voir qu'une simple coïncidence, un malchanceux coup du hasard. Puis, au fil des jours, il avait dû se rendre à l'évidence.

Il avait encore voulu croire au hasard quand il avait vu, à la première conférence qu'il avait donnée, la belle Suzan Cole assise au premier rang. Après tout, on venait de loin pour l'écouter. Il était devenu un professeur réputé, et la belle métisse pouvait très bien être à Oxford uniquement pour suivre ses cours. Mais, maintenant, il le savait. Il le pressentait depuis deux jours, sans en avoir la certitude, mais sa main, subitement paralysée la veille, lui avait enfin dessillé les yeux.

Il appuyait sur la pédale de l'accélérateur. Pourvu qu'il n'arrive pas trop tard ! Et cette main enflée qui le faisait souffrir ! Heureusement, ce ne serait pas grave. Il avait fait ce qu'il fallait pour cela. Ce n'était pas facile de conduire avec ce bras raide, et cette cheville mal guérie.

Quatre-vingts, quatre-vingt-dix à l'heure... Il maudit cette voiture qui n'avançait pas. C'était une question de minutes. Peut-être même de secondes. Tout au bout de Woodstock Road, le feu était rouge. Tant pis, il passa, prit son virage en épingle à cheveux, tourna dans Banbury Road, rejoignit Parks Road. Les rues étaient désertes. A cette heure-là, il n'y avait pas un policier dans les rues. Encore quelques mètres et il y serait.

Il tourna à gauche, dans Hollywell Street, fut obligé de ralentir pour regarder le numéro des rues, et s'arrêta, dans un violent coup de frein, devant le douze : une petite maison gothique faiblement éclairée par un réverbère. Toutes les lumières étaient éteintes. Il sonna, un coup, deux coups. Se pouvait-il qu'elle ne fût pas là ? Un frisson le parcourut. Ce serait horrible. Il sonna à nouveau, puis appuya sur la poignée de la porte. Fermée à clef. Fébrilement, il sortit un couteau de sa poche et se mit à forcer la serrure. « Du calme, du calme, se répétait-il. Ces serrures ne sont pas compliquées. Elles sont vieilles et vermoulues. Dans une minute, celle-ci sautera. »

Elle céda quelques secondes plus tard, et Trevor monta quatre à quatre le petit escalier raide qui menait à l'appartement de Suzan. La porte était ouverte, mais il n'y avait personne. Un rapide coup d'œil suffit pour qu'il s'en rendît compte.

Le cœur de Trevor se mit à battre violemment dans sa poitrine.

Il savait, lui, mieux que personne au monde, ce que signifiaient ces oiseaux noirs. C'était la mort, et la mort à brève échéance pour quiconque avait percé le secret.

Oui. Tout était horriblement clair. Il savait maintenant pourquoi il se sentait irrésistiblement entraîné, après le dîner, hors de Belmount House. Il avait compris la signification de cette mélopée étrange qui l'attirait comme un aimant à heure fixe. Et il regarda, horrifié, cette main encore paralysée dont les doigts recommençaient à peine à bouger.

— L'immonde créature, rugit-il. Si jamais elle fait du mal à Clarisse, je la tuerai... Où est-elle ? Il faut que je l'empêche de lui nuire. Que je la livre à la police...

L'idée lui vint d'appeler immédiatement le poste de

police le plus proche. Mais que raconterait-il. Ne prenait-il pas le risque de se faire raccrocher au nez ? Personne ne pourrait le croire... Même Clarisse qu'il aimait tant le regardait avec méfiance. Et pourtant, si elle savait. Si elle avait pu deviner qu'au premier coup d'œil il était tombé amoureux d'elle, comme jamais il ne l'avait été de sa vie.

Et maintenant, à cause de lui, à cause de sa curiosité, du besoin qu'il avait eu de vouloir surprendre le secret, elle risquait la mort.

« Quiconque a surpris le secret des grands oiseaux noirs de la nuit, doit se taire à jamais », disait le mot.

Mais elle, la pauvre innocente, elle ne savait rien. « On » croyait qu'elle savait, parce qu'elle habitait sous le même toit que lui et qu'il avait pu lui faire des confidences. Ah ! Ils ne prenaient pas de risques !

— Les salauds ! cria-t-il.

Il écrasa sa cigarette dans un cendrier, rageusement, et descendit l'escalier, quatre à quatre. Quelle imprudence de laisser Clarisse seule, dans cette maison, avec ce danger qui la guettait.

— Mon Dieu, pria-t-il, pourvu qu'elle n'ait pas ouvert la porte. Pourvu qu'il ne lui soit rien arrivé.

Il regarda sa montre avant de monter dans sa voiture : une heure du matin. Cela faisait une demi-heure qu'il était parti. C'était trop.

Il démarra et reprit le chemin de la maison, le pied sur l'accélérateur, sa main valide crispée sur le volant.

— Plus que trois kilomètres... deux kilomètres huit cents...

Cette fois-ci, il fut obligé de s'arrêter au feu rouge pour laisser passer une voiture, puis il redémarra, en trombe, le pied au plancher jusqu'au grand virage de Woodstock Road. Puis tout alla très vite. La voiture se mit à tanguer dangereusement, dérapa sur la chaussée humide, se coucha sur le côté dans un grand froissement de ferraille. Dans un effort désespéré, Trevor braqua le volant, mais la direction ne répondait plus. C'était trop tard et le jeune homme vit avec horreur le fossé profond dans lequel l'Austin fonçait à toute allure, pour y culbuter.

Avant de s'évanouir, dans un éclair, Trevor eut la vision d'un pont de lianes, immense, qui se balançait au-dessus d'un abîme vertigineux et de grands oiseaux noirs qui volaient, autour de lui, très bas, en ricanant.

Où était-il ?

Que lui était-il arrivé ?

Il ouvrit les yeux lentement, comme s'il n'osait pas. Tout tournait autour de lui, la voiture renversée, les arbres. Que faisait-il dans ce fossé ?

Lentement, il reprenait conscience, réalisait qu'il était encore en vie et qu'il pouvait bouger ses jambes et ses bras, tourner la tête. Puis tout lui revint : le dérapage incontrôlé, l'accident idiot.

Combien de temps était-il resté dans le coma ? Il lui semblait qu'il avait dormi des années. Son esprit s'agitait dans tous les sens, pour remettre les choses à leur place, les ordonner, en retrouver le sens, mais sa tête lui faisait mal, il avait l'impression d'avoir les tempes serrées dans un étau.

— Je suis fatigué, gémit-il. Il faut que je dorme. Mais non, je dois me lever, marcher, rentrer à la maison. Pas tout de suite. Rien ne presse. Je vais dormir un peu... J'ai mal... mais quelqu'un m'attend, quelqu'un m'appelle. Je dois partir, pourquoi ? Grands dieux, pourquoi ?...

Puis tout à coup, la lumière se fit, et il se redressa d'un bond :

— Clarisse, hurla-t-il, Clarisse !

Il avait retrouvé toute sa tête, et il était debout, maintenant, au bord de la route déserte. C'était la nuit noire. Personne n'était passé par là. Personne n'avait remarqué l'accident.

Quelle heure pouvait-il être ?

Il regarda sa montre. Le verre était brisé, mais elle marchait encore. Il tressaillit :

— Deux heures du matin. C'est trop tard. C'est

horrible. S'il lui est arrivé quelque chose, je ne m'en remettrai jamais.

Et, sans se soucier de ses courbatures, il se mit à courir le long de la route. Son cœur frappait de grands coups dans sa poitrine. Sa cheville meurtrie provoquait des élancements dans sa jambe gauche, mais il continuait à courir à perdre haleine. Il n'était pas question qu'il s'arrête une seconde pour souffler. Il allait, d'une course irrésistible, se défendant d'être fatigué, résistant désespérément à la lassitude qui le gagnait, et au bout d'un temps qui lui parut être une éternité, il aperçut enfin la masse sombre de Belmount House.

Il poussa la barrière et pénétra dans la longue allée qui allait vers la maison et un pressentiment terrible s'empara de lui quand il s'aperçut que la porte était ouverte.

Il monta l'escalier qui menait à la chambre de Clarisse et son cœur s'arrêta quand il vit que la porte bâillait, et que la chambre était vide.

— Clarisse, cria-t-il, Clarisse, où êtes-vous ?

Aucune réponse.

Il alla à la fenêtre, l'ouvrit, et son regard fouilla la nuit. Personne.

Il écouta : était-ce le bouillonnement de ses artères qui faisait bruire cette rumeur dans ses oreilles ?

Il douta pendant quelques secondes, attentif, puis il fut convaincu, soudain, qu'il se passait dans le jardin quelque chose d'étrange. Il distinguait dans le lointain un remuement vague, une agitation suspecte ; il était sûr d'entendre des voix, confuses cependant, qui semblaient venir de la rivière.

Il tendit l'oreille, ferma les yeux pour mieux se concentrer. Oui, il percevait de drôles de bruits glauques, des murmures, et soudain, dans le lointain, un cri plaintif, déchirant, horrifié, qui se mua en une plainte terrible.

Et là-dessus, comme une moquerie, s'égrenait un rire en cascade, métallique, glacé.

Trevor se boucha les oreilles pour ne plus entendre. Ce qu'il redoutait était arrivé. Les secondes étaient précieuses.

Il se précipita vers la cheminée, saisit les merles noirs et enleva les aiguilles qui trouaient leurs yeux. Il piqua ces quatre aiguilles au revers de sa veste, dégringola les escaliers, et, en moins de trente secondes, fut dans le jardin, dévalant la pente raide, piétinant les plates-bandes, courant à l'aveuglette jusqu'à la rivière.

Il y a des visions, qui, même si elles ne durent qu'une seconde, contiennent l'éternité : là, dans le tourbillon du torrent, sous les reflets de la lune, une atroce mise à mort avait lieu.

Les genoux de Trevor faillirent se dérober sous lui, et des sueurs glaciales commes celles de l'agonie baignèrent ses tempes. Etait-ce un cauchemar ou la réalité ?

Debout dans les tourbillons de la rivière, plongée dans l'eau jusqu'à la taille, sa tunique trempée modelant son buste de statue, la haute silhouette d'une femme aux cheveux plus noirs que la nuit, au profil coupé dans l'ébène, aux lèvres retroussées sur un rictus de fauve, achevait son œuvre et retenait sous l'eau, dans l'étau impitoyable de sa main noire, la tête blonde aux cheveux épars qui resurgissait, dans des efforts déri- soires. La main de Clarisse, les doigts écartés, sortait de l'eau, tentait d'agripper son bourreau et s'agitait dans le vide, essayant désespérément de s'accrocher à quelque chose, ou d'entraîner avec elle, dans le tumulte du torrent, celle qui la faisait mourir.

Et Suzan Cole riait, riait d'un rire funèbre.

— Ne lutte pas, cela ne sert à rien. Tu m'as rejointe, maintenant, petite curieuse. Tu voleras, désormais, avec les grands oiseaux noirs de la nuit dont ton ami Trevor a percé le secret. Pour lui aussi, c'est fini. Tout est fini. Jamais il ne viendra à ton secours. Il est mort. Les oiseaux se sont vengés. Va, va le rejoindre.

Et la main appuyait sur la tête de Clarisse, de plus en plus fort, en resserrant les doigts, dans une crispation de tous les muscles qui saillaient le long du bras trop maigre.

D'un bond, Trevor fut sur Suzan Cole, la prit à bras-le-corps, saisit sa main qu'il tordit derrière son dos et, d'un violent coup de genou dans les reins, fit tomber la métisse dans le tourbillon.

— Immonde créature, misérable. Meurs, maintenant. Tu es perdue, monstre !

Puis sans perdre une seconde, Trevor prit Clarisse dans ses bras, pauvre corps pantelant, transi et, luttant contre le courant, marcha vers la rive.

Mais l'autre s'était relevée, et, rassemblant ses forces, se rua sur le dos de Trevor, ses jambes et ses bras l'encerclant comme une pieuvre, pour essayer de lui faire lâcher prise, et l'entraîner avec elle. Elle l'immobilisait de tout son poids, l'empêchant d'avancer et lui faisant perdre un équilibre déjà instable sur les roches glissantes.

Trevor dut s'arrêter pour ne pas tomber.

Que pouvait-il faire ? S'il lâchait Clarisse, elle mourrait. Et il ne pouvait se battre contre l'autre, avec les jambes entravées. Les dents de la métisse déchiraient son épaule à travers la veste. Ses bras se resserraient dangereusement autour de son cou et sa force était décuplée par la rage. Il commençait à étouffer. Une seule chose pouvait le sauver. Heureusement, Clarisse était légère. Il la maintint de son seul bras droit et, de sa main gauche, il prit, sur le revers de sa veste, une des aiguilles qui avaient servi à trouer les yeux des oiseaux et l'enfonça profondément dans le dos de la main noire qui déjà l'étranglait.

— Tiens, sorcière, tu l'auras voulu. Que le sort retombe sur toi, hurla-t-il...

L'effet fut instantané. Suzan Cole poussa un cri, libéra Trevor et tomba sur les rochers. Trevor se précipita sur la rive pour déposer dans l'herbe la pauvre Clarisse évanouie.

Derrière lui, une plainte, enfin humaine, et qui n'avait plus rien de magique, montait de la rivière.

Il serait arrivé une minute plus tard, et la malédiction aurait été fatale. Clarisse avait déjà le visage bleui par l'eau et le souffle rare. Sa poitrine se soulevait à peine, à intervalles irréguliers.

La première chose à faire était de la ranimer, de retenir le fil ténu qui la maintenait encore en vie.

Trevor regardait, terrifié, ces ombres noires qui creusaient les joues de la jeune fille, il épiait ce souffle rauque qu'exhalaient avec peine ses lèvres enflées.

« Mon Dieu, pensa-t-il, si elle vient à mourir, ma vie n'aura plus de sens. »

— Clarisse, mon amour, murmura-t-il, comme si ces simples mots pouvaient la tirer de son évanouissement.

Mais elle resta inconsciente, les lèvres entrouvertes, les yeux fermés.

Que faisait-on dans ces cas-là ? Tout se bousculait dans la tête de Trevor. Lui qui avait pourtant su faire preuve de sang-froid dans des situations aussi dramatiques, se sentait perdu devant cette vie dont il était responsable, qu'il tenait entre ses mains. Clarisse ne remuait toujours pas, elle allait s'asphyxier avec toute l'eau qu'elle devait avoir dans les poumons. Trevor ne pouvait pas échouer, et son affolement s'amplifiait, du fait qu'il devait en même temps ne pas perdre de vue la meurtrière.

Un coup d'œil lui suffit pour s'assurer qu'elle était toujours debout dans la rivière, ses yeux de diamant fixés sur sa main paralysée, victime à son tour du juste retour du sort et de la malédiction qu'elle avait manigancée.

Rassuré sur ce point, il retrouva son calme et posa ses lèvres sur celles de Clarisse qu'il ouvrit pour y insuffler la vie...

Et c'était un spectacle étonnant que celui de cette déesse de la mort, statufiée dans le tourbillon glacé, proférant des imprécations en direction du couple, qui, sous les saules agités par le vent, cherchait à retrouver dans un bouche-à-bouche éperdu le souffle de la vie.

Baiser de résurrection. Baiser de la vie et de l'amour.

— Elle doit mourir. C'est écrit... Il est trop tard, Trevor Mostyn, vos tentatives sont inutiles...

La voix de la métisse était mal assurée, et les imprécations étaient tremblantes. La déesse noire qui maintenant roulait des yeux effrayés dans tous les sens, comme pour appeler à l'aide, avait peur à son tour. Elle n'avait pas imaginé une seconde qu'elle se trouverait face à une situation pareille. Elle avait été l'instrument d'une autorité supérieure, et elle avait suivi à la lettre, respectueusement, tout ce qu'on lui avait ordonné de faire... D'après le plan établi, Trevor devrait être mort, à l'heure présente, et Clarisse devrait être en train de se noyer. Mais voilà que l'un comme l'autre allait survivre et défier la malédiction des oiseaux noirs...

Maintenant, personne n'était là pour lui dire ce qu'elle devait faire. Une peur incontrôlable secouait ses nerfs, et elle arracha en tremblant l'aiguille maudite plantée dans sa main, en fixant avec horreur le sang qui en coulait.

— Elle va mourir, elle va mourir, hurla-t-elle encore, comme pour aider le maléfice à se réaliser.

Mais le sort en avait décidé autrement. Sous l'étreinte et le souffle salvateur de Trevor, Clarisse reprenait vie et sa poitrine se soulevait régulièrement. Elle ouvrit les yeux et vit le visage angoissé du jeune homme penché sur elle. Apaisée, elle lui sourit et referma les yeux, comme pour s'endormir.

« Sauvée, elle est sauvée », pensa Trevor qui la serra de toutes ses forces dans ses bras, avant de la reposer sur l'herbe humide.

Maintenant que Clarisse était tirée d'affaire, il fallait qu'il s'occupe de l'autre.

Il se dirigea vers elle, qui, toujours sous le choc, était restée immobile dans l'eau. Il fallait faire vite, car, d'un instant à l'autre, elle recouvrerait ses esprits, et s'enfuirait dans la nuit.

Allait-il la tuer ? Debout devant elle, l'œil brillant de haine, il encercla son bras dans un étau d'acier :

— Maintenant, ma belle, c'est l'heure de la vérité,

dit-il d'une voix glaciale. Vous avez failli m'avoir, et j'ai bien failli me laisser prendre à vos sortilèges.

Il éclata d'un rire sardonique :

— Ah ! Vous vous êtes bien jouée de moi, au début, mais vous avez simplement oublié une chose : c'est que, dans votre pays, là-bas, j'ai découvert non seulement ce secret pour lequel, à vos yeux, je méritais la mort, mais j'ai aussi appris la méfiance. Je connais les moyens de me débarrasser des créatures nuisibles de votre espèce. Je pourrais vous écraser comme une mouche, vous envoyer rouler dans le torrent. Si c'était moi qui vous maintenais la tête sous l'eau, soyez sûre que vous y resteriez. Mais vous êtes prise à votre propre piège.

Il saisit sa main blessée et rougie par le sang :

— Vous savez très bien ce que signifie cette aiguille. Vous l'avez enlevée à temps, mais regardez...

Il montra le revers de son veston où brillaient trois autres aiguilles. Suzan Cole poussa un cri et s'affaissa sur elle-même. D'un geste brusque, Trevor la fit se redresser :

— Non, dit-elle d'une voix tremblante. Non, vous ne pouvez pas faire cela...

— Et qui donc m'en empêcherait ? N'avez-vous pas pousser l'horreur jusqu'à vous attaquer à une innocente ? Si je plante ces trois aiguilles dans trois endroits différents de votre corps, vous n'ignorez pas que ce sera la mort à brève échéance.

La belle idole noire qui avait tourné toutes les têtes, l'autre soir, au bal, n'était plus maintenant qu'une créature larmoyante, misérable, qui implorait grâce, prête à tout pour qu'on lui laisse la vie sauve.

— Ma pauvre fille, lança Trevor, d'une voix qui contenait tout le mépris du monde. Je ne recourrai pas à vos sortilèges pour me débarrasser de vous. Vous avez échoué, et c'est tant pis pour vous. Vous n'en aviez pas le droit. Maintenant, regardez !

Il pointa le doigt vers la lune ronde qui commençait à descendre derrière les frondaisons :

— Vous deviez accomplir votre forfait à la pleine lune, cette nuit donc. Demain, elle aura déjà entamé son déclin, et je ne risquerai plus rien. Vous ne pourrez plus guère, d'ici à ce que la lune soit pleine à nouveau, que m'envoyer de vaines menaces. Mais je sais que vous ne le ferez pas. Vous aurez disparu, vous vous terrerez, misérable, dans un coin, sans oser vous montrer, sans oser rentrer chez vous. Car, vous le savez mieux que moi-même, dans votre pays, chez vos sorciers de malheur, on n'a pas le droit d'échouer. Vous êtes condamnée à être dévorée par votre tribu. Votre haine des blancs vous a menée trop loin.

Il la regarda dans les yeux. Elle avait l'air d'un animal blessé. Il savait qu'il avait dit la vérité, qu'il avait frappé juste. Elle était assez punie par sa faute. Avec de la pitié dans la voix il continua :

— Et peut-être n'êtes-vous pas entièrement fautive. C'est pour cela que je ne vous tuerai pas. Je n'exige qu'une chose : que vous disparaissiez, à tout jamais. Ou je vous ferai expulser. Je vous dénoncerai à la police. Ou, ce qui est pire, je vous conduirai au prochain avion en partance pour la Côte-d'Ivoire, et là, vous serez bien reçue.

Il la prit aux épaules et la poussa brutalement :

— Allez, partez.

Suzan Cole trébucha sur les roches glissantes, se releva et, jetant à Trevor un dernier regard apeuré, s'enfuit en courant.

Trevor revint vers Clarisse, la prit dans ses bras et se dirigea lentement vers Belmount House. Il la porta jusqu'à sa chambre et avec d'infinies précautions, la déposa sur son lit.

L'eau dégoulinait de ses vêtements.

« Elle ne peut rester comme cela, elle va attraper la mort », se dit-il.

Et au moment où il déboutonnait son pull-over et le faisait glisser le long de ses bras nus, Clarisse eut un sursaut. Elle ouvrit les yeux, secoua la tête comme pour sortir de sa torpeur, et une sourde colère alluma ses prunelles :

— Comment osez-vous, horrible individu, dégoûtant personnage, séducteur à la petite semaine, coq de village. Comment osez-vous, balbutia-t-elle d'une voix affaiblie, mais furieuse.

— Ça, alors ! C'est trop fort. On peut dire que vous ne manquez pas de culot. Je viens de vous sauver la vie, et je me fais insulter : Bravo ! Belle mentalité !

Et il éclata d'un rire joyeux. Maintenant, il était sûr qu'elle était sauvée...

11

— Comment vous sentez-vous, ma chérie?

Clarisse ouvrit les yeux, tourna la tête et aperçut, à côté d'elle, Lady Chalgrove qui la fixait avec un air soucieux. « Qu'est-ce qui se passe? pensa la jeune fille. Où suis-je? »

Elle leva les yeux sur le ciel de lit. Il était bleu, parsemé de petites fleurs... Elle n'était pas dans sa chambre. Et que faisait-elle couchée, dans ce lit inconnu, entourée de bouillottes? Comment Lady Chalgrove avait-elle pu monter les étages?

— Calmez-vous, calmez-vous, dit Lady Chalgrove en serrant doucement le poignet de la jeune fille. Vous êtes encore très faible. Il faut que vous vous reposiez.

— Mais pourquoi ne suis-je pas dans ma chambre? Où suis-je? murmura Clarisse.

— Je vous ai fait installer dans la chambre contiguë à la mienne, pour mieux vous surveiller et pouvoir, à mon tour, remplir le rôle de garde-malade.

Clarisse fut prise soudain d'une violente quinte de toux, et, portant sa main à son front, elle s'aperçut qu'il était brûlant. C'est à ce moment que la mémoire lui revint par bribes.

Elle laissa retomber sa tête sur les oreillers, et parla avec peine:

— Ah! oui, cette nuit atroce... Quelle horreur... Cette rivière, et ce fantôme noir qui voulait me noyer... Mais que s'est-il passé après? Et avant...? Où est Trevor?

— Cela fait deux jours que je vous veille, mon petit.

Vous avez été assez malade, et, si mon neveu ne m'avait pas mise au courant de ces terribles événements, j'aurais vraiment cru que vous étiez en train de délirer. Mon Dieu, quelle histoire ! J'en frissonne encore. Et dire que tout ça s'est passé sous mon toit, sans que je me doute de rien. Enfin, tout est fini, maintenant. Dans quelques jours, grâce aux remèdes de cheval que je vais vous infliger, vous serez sur pied, et, si vous n'êtes pas totalement dégoûtée de cet endroit, nous reprendrons nos petites habitudes.

Lady Chalgrove regardait la jeune fille, les yeux pétillants de malice.

— Eh bien, si j'avais pu deviner. J'imaginais pour vous toutes sortes de destins, je vous voyais dans les aventures les plus diverses, mais j'étais à cent lieues d'imaginer ce qui vient de vous arriver. Cela dépasse tout ce que mon imagination pouvait inventer, même sous l'inspiration de ma chère Lady Rosamund...

A cette évocation, Clarisse se redressa, rejeta violemment ses couvertures.

— Ça y est, je me souviens maintenant, dit-elle, en la fixant avec une expression horrifiée. Les plaintes dans la nuit, ce chant, cette femme qui m'appelait, c'était vous, n'est-ce pas ?

Sa voix tremblait.

— C'est vous qui avez organisé toute cette mise en scène, tout ce drame macabre ? Vous avez failli me tuer parce que cela vous amusait et vous donnait des idées pour vos romans. Vous vous êtes servie de moi...

Lady Chalgrove resta muette de saisissement.

Clarisse poursuivait :

— Vous m'avez fait venir chez vous uniquement pour servir vos caprices ! Pour avoir sous la main l'héroïne de vos romans et pour l'utiliser, comme un pantin ! C'est vous qui tiriez les ficelles, c'est vous qui avez mis ces merles noirs dans la boîte aux lettres, parce que vous étiez à court d'imagination ! Pour faire rebondir le chapitre qui n'avançait pas !

La vieille dame était de plus en plus étonnée : qu'est-ce que Clarisse était en train d'inventer ?

— Elle délire, cette enfant. Elle ne sait plus ce qu'elle dit. Couchez-vous, mon petit, vous avez de la fièvre.

— Je n'ai rien du tout ! J'ai attrapé froid, mais j'ai toute ma tête. Bien que vous ayez essayé de me rendre folle ces derniers jours, avec un acharnement diabolique. Et vous allez m'écouter !

— Mais enfin, Clarisse, qu'est-ce qui vous prend ?

— Il me prend que j'en ai assez de vos plaisanteries ! Assez de ces faux fantômes à la voix magique. Assez d'avoir failli mourir. Assez de jouer des personnages de romans pour des lunatiques.

— Clarisse, modérez vos expressions. Et, je vous en prie, calmez-vous, je vais tout vous expliquer...

— J'ai tout compris, et depuis longtemps ! la coupa Clarisse avec sécheresse.

Tout le corps de Clarisse tremblait. Elle s'effondra sur le lit, livide, le visage baigné de sueur. Cette scène était trop pour elle. Elle était encore trop faible.

La vieille dame fit tourner son fauteuil, et son bras agrippa le cordon de la sonnette. Moins d'une minute après, le fidèle Timothy apparaissait dans l'embrasure de la porte.

— Apportez-moi immédiatement une tisane chaude et des aspirines. Clarisse m'inquiète.

— Bien, Madame.

Il salua respectueusement et disparut. Ce ne fut pas lui qui revint, mais Trevor, qui ouvrit la porte en coup de vent. Ses yeux étaient cernés, et son beau visage tiré.

— Comment va-t-elle ? jeta-t-il à sa tante avec brusquerie.

Lady Chalgrove lui raconta :

— Tu n'as pas idée de ce que je viens d'entendre. Figure-toi que c'est moi, maintenant, qu'elle traite de criminelle. Elle parle de fantômes, de chants magiques... Je n'y comprends rien.

Les remèdes de cheval de Lady Chalgrove se révélè-
rent miraculeux. Trois heures après, Clarisse, reposée,
écoutait calmement Trevor, cavalièrement assis sur la
courtepointe du lit.

— Donc tout a commencé en Côte-d'Ivoire ?
demanda-t-elle.

— Oui, et tout est ma faute. Ou plutôt, la faute de
mon immense curiosité... Je me trouvais dans ces
régions montagneuses, recouvertes d'épaisses forêts, et
j'étudiais les mœurs de cette tribu anthropophage, les
Dan. Ce peuple construit d'impressionnants ponts de
lianes qui surplombent les précipices.

— Oui, ces ponts magnifiques, j'en ai vu des photos.

— Vous êtes-vous jamais demandé comment on les
fabriquait ?

— Non, répondit Clarisse. De toute façon, je vois
mal le rapport entre ces ponts et cette abominable
histoire...

Il la coupa.

— Justement, tout est là. Vous allez tout comprendre. Je vous l'ai dit, et je le répète : « Nous ne voyons
jamais qu'un seul côté des choses, l'autre plonge en la
nuit d'un mystère effrayant. »

Il s'appuya confortablement contre le montant du lit,
et alluma une cigarette.

— Lors d'une de mes nombreuses expéditions, j'eus
à traverser un pont qui se balançait au-dessus d'un
torrent. Il était étroit comme une lame de rasoir, j'étais
réduit à marcher sur une seule liane tremblante.
Heureusement que je ne suis pas sujet au vertige, sinon
je serais mort d'un arrêt du cœur. Arrivé de l'autre côté
de la rive, j'ai eu l'impression d'avoir accompli un
voyage initiatique. Je m'arrêtai un instant et contemplai
cette corde raide, soutenue simplement par d'immenses
lianes accrochées au plus haut des arbres. Je me
demandai comment les Dan arrivent à faire un tel chef-
d'œuvre d'équilibre de forces. Par quel miracle ont-ils
pu parvenir au sommet de ces arbres ? Il y avait
quelque chose de magique dans la vision de ce pont,

suspendu dans les airs, balancé par le vent tiède qui venait par bouffées, avec la fraîche odeur des arbres et des plantes, et le sifflement des oiseaux qui dominait les rumeurs de la forêt. Je restais là, en contemplation, un peu grisé, perdu dans mes pensées, quand l'indigène qui m'accompagnait me rejoignit et me dit, comme s'il devinait les questions que je me posais :

« — Un secret entoure la fabrication de ces ponts. Un secret que personne ne doit essayer de percer, sous peine de mort.

« — Le connaissez-vous ? lui demandai-je.

« Il me regarda comme si je venais de dire une énormité.

« — Jamais de la vie ! Et je n'ai pas envie de le connaître. Cela porte malheur. Je laisse ce secret aux sorciers. Ici, ce sont eux qui font la loi, tout ce que nous savons, nous, c'est la légende qui entoure ces ponts.

« Et, continua Trevor, mon compagnon me raconta que ces ponts étaient l'œuvre des grands sorciers dan, qui, la nuit, se métamorphosent en oiseaux pour aller accrocher les lianes sur les plus hautes branches des arbres. Les habitants des villages proches voient alors de grands oiseaux noirs voler très bas ; leur arrivée signifie aux populations l'ordre de ne pas entrer dans la forêt. Le lendemain, à l'aube, les oiseaux envolés, les indigènes se rendent par groupe jusqu'à la rivière : un nouveau pont de lianes se balance. Et là commence un autre drame : la première personne qui franchit ce pont doit mourir dans l'année. Comme personne n'a envie de se sacrifier, le sorcier du village désigne une victime. Souvent, il envoie un vieillard ou un homme qui a désobéi aux règles de la tribu. Pendant deux jours, les femmes pleurent et se lamentent, leur visage caché par des masques représentant des oiseaux. Enfin, tout le village accompagne le malheureux au pont. Il est obligé de s'exécuter.

— Quelle étrange coutume, murmura Clarisse, aba-sourdie. Mais vous, Trevor, dans tout ça...

— Nous y arrivons. Moi, évidemment, j'ai voulu savoir leur secret. Qu'auriez-vous fait à ma place ?

Clarisse n'hésita pas un seul instant :

— J'aurais été surprendre ces oiseaux, la nuit, en me cachant pour ne pas être vue.

— Bravo ! Je n'en attendais pas moins de vous !

Il lui lança un regard où brillait une flamme qui émut Clarisse, puis il poursuivit son récit :

— J'attendis quelque temps dans un village dan, où je finissais d'écrire une étude sur les masques. Un soir, je fus alerté par une rumeur. Je sortis de ma case. Tous les habitants étaient réunis sur la place et regardaient le ciel où volaient de grands oiseaux noirs. Les mères rappelaient leurs enfants. Certaines femmes pleuraient parce que leurs époux étaient partis chasser dans la forêt et risquaient d'être pris par les oiseaux. A la nuit tombée, il n'y avait âme qui vive dehors, et on entendait seulement des rumeurs qui venaient des cases. Je me levai sans faire de bruit, et m'engageai dans la forêt, par un sentier taillé à coups de serpe. Il me fallut plusieurs heures pour trouver l'endroit où les sorciers-oiseaux officiaient. Ils étaient devant une grande cascade. Il y en avait une vingtaine, masqués, avec de grandes ailes faites de plumes de corbeau accrochées à leur dos. Ils tressaient les lianes à toute allure, en chantant des incantations, comme s'ils célébraient un sacrifice. Fasciné, je m'avançai, car, malgré la lune qui brillait de tout son éclat, je les distinguais mal et, oubliant toute prudence, je me pris le pied dans une liane. Ce fut la catastrophe. Je tombai de tout mon long, et poussai un cri de douleur...

— Je crois que j'ai compris, maintenant, dit la jeune fille.

Elle se cacha le visage dans les mains.

— Comment Lady Chalgrove pourra-t-elle pardonner mes accusations ?

— Pensez-vous ! Elle les oubliera au moment où vous l'embrasserez sur la joue. Elle vous adore. Et puis, vous êtes tout à fait excusable. L'étrange atmosphère dans laquelle nous étions pouvait nous faire tourner la tête... Quoi qu'il en soit, je finis mon histoire. J'étais donc démasqué. J'avais percé leur secret. Je risquais de le divulguer. Sachant qu'ils m'avaient condamné à mort, je n'avais qu'une chose à faire : fuir, le plus rapidement possible et me cacher à Oxford où j'acceptai un poste de professeur. C'était compter sans l'opiniâtreté des sorciers dan !

— Et c'est là que la belle Suzan Cole fait son apparition ?

— Exactement. Elle est la petite fille d'un grand sorcier de Côte-d'Ivoire. Ce que j'ignorais, c'est qu'elle revenait dans sa tribu, régulièrement, et là, son ancêtre l'initiait à ses maléfices. C'est lui qui l'envoya sur mes traces, et qui fit d'elle l'instrument de sa vengeance.

Clarisse demanda à l'anthropologue :

— Comment s'y est-elle prise ?

Trevor répondit avec une rage contenue :

— Elle a commencé par m'envoûter avec un philtre pour me faire avouer ce que je savais de leur secret.

Clarisse l'interrompit :

— C'est à cause de ce philtre que vous alliez la rejoindre tous les soirs ?

— Vous avez deviné, fit-il avec un sourire triste.

— Et cet accident bizarre lors de votre arrivée, c'était encore elle ?

— Elle était au volant de la voiture, répliqua Trevor. C'était un avertissement. Mais sans gravité, car ma mise à mort ne devait avoir lieu qu'un soir de pleine lune.

Le visage de Clarisse s'était décomposé pendant ce récit. Elle lui demanda, la gorge serrée :

— Vous avez succombé à son philtre... Vous avez donc été amoureux d'elle ?

Il la regarda avec intensité :

— Non, quelque chose de plus fort que toute la magie du monde a empêché le sortilège d'agir totalement. C'était vous.

— C'est la raison pour laquelle ils ont essayé de me tuer, moi aussi ?

— Suzan Cole vous a repérée pendant le bal après que je vous ai regardée.

— Elle m'a prise pour une complice ?

— Une complice… ou autre chose, fit-il d'un ton plein de sous-entendus.

— Et votre main ? l'interrogea Clarisse.

— C'était un deuxième avertissement. Suzan Cole m'a piqué à mon insu, pendant que nous dansions, avec une de ses aiguilles empoisonnées. Si elle avait laissé l'aiguille, le mal aurait été beaucoup plus grand. Vous ne pouvez pas vous en souvenir parce que vous étiez évanouie, mais vous auriez dû voir la tête de Suzan Cole quand j'ai menacé de la piquer avec les aiguilles qui lui avaient servi à aveugler les oiseaux pendus dans votre chambre !

— Ces aiguilles, pourquoi les jetiez-vous dans le feu ?

— Le feu exorcise leur pouvoir maléfique, répondit Trevor, tandis que l'eau anéantit celui des oiseaux morts. C'est la raison pour laquelle j'ai jeté dans la rivière l'oiseau que vous avez trouvé dans la boîte aux lettres.

Clarisse l'interrompit de nouveau :

— Mais moi, je n'ai pas bu de philtre. Je ne comprends pas comment elle a pu me faire aller jusqu'à la rivière.

— D'abord, vous étiez dans un état de nerfs qui vous rendait sensible à toutes les influences : ma main, ces oiseaux, les histoires de ma tante qui embrouillaient votre jugement, le fantôme de Fair Lady Rosamund, et trois notes là-dessus, le tour était joué.

— Trois notes ? demanda Clarisse. Je ne comprends pas.

— Laissons quelques plumes à l'oiseau du mystère, commença Trevor. Les sorciers de Côte-d'Ivoire ont poussé très loin le sens de la modulation. Ils ont mis au point des mélopées qui leur servent à hypnotiser leurs victimes. C'est un de ces airs que Suzan Cole vous a chanté le soir où vous avez trouvé les oiseaux dans votre chambre. Et vous avez voulu y entendre la plainte de Fair Lady Rosamund !

Clarisse le regarda d'un air étonné :

— Pourquoi m'avoir laissée seule dans ma chambre quand vous avez découvert les deux oiseaux morts ? Vous saviez pourtant ce qui m'attendait !

— J'espérais naïvement trouver Suzan Cole chez elle pour la neutraliser avec les aiguilles que j'avais retirées des oiseaux morts. Mais elle m'a eu. Pour aider la magie, elle avait déboulonné une des roues de ma voiture. Suzan Cole se doutait que j'essaierais de la rejoindre. C'est miracle si je ne suis pas mort.

— Comment, vous avez eu un accident ? demanda Clarisse avec émotion.

Son menton tremblait.

— Ma chérie ! s'écria Trevor en la saisissant par les épaules.

Clarisse le repoussa avec violence.

— Ah ! non, ce serait trop facile.

— Mais je vous aime !

— Quel est le sens de ce mot pour vous ? demanda-t-elle d'un ton qu'elle voulut froid.

Comme il ne répondait rien, elle ajouta méchamment :

— Vous l'avez dit à tant d'autres ! Traite-t-on de sorcière quelqu'un qu'on dit aimer ?

— C'est ce maudit philtre, grommela-t-il. Comment pourrai-je jamais vous faire oublier mon comportement ? Je m'en voudrai toute ma vie…

— Mais pourquoi vous moquiez-vous de moi ? Drôle de manière d'aimer !

— Je vous en voulais, commença-t-il, et sa voix baissa d'un ton.

La stupéfaction se peignit sur le visage de Clarisse. Il poursuivit :

— Ce jeune Henri de Maurel dont me parlait ma

149

tante, j'en étais jaloux. Et si je me moquais de vous, c'était pour me défendre de tomber amoureux de vous.

Il serra les mâchoires et ajouta :

— Puis il y a eu Ambrose... Et les autres, tous les autres... tous ces pauvres petits étudiants qui vous dévoraient des yeux pendant le bal !

Au fur et à mesure que Trevor parlait, le visage de Clarisse s'éclairait. Elle eut un doux sourire pour lui répondre :

— Ils n'ont pas plus compté pour moi que vos femmes pour vous !

Épilogue

La grande table de la salle à manger de Belmount House avait un air de fête et resplendissait sous l'éclat des bougies.

Timothy, le valet de chambre, apporta un faisan sur canapé qu'il montra en s'inclinant cérémonieusement à Lady Chalgrove. Trevor fit irruption en brandissant trois bouteilles de champagne.

— Eh bien, mon cher neveu, tu nous gâtes. Que fêtons-nous là ?

— Tout, répondit-il en riant. La vie, l'amour, ce beau soleil de septembre, et le premier chapitre d'un beau roman, sans crime, sans magie, sans intrigue abominable.

— Quel ennui, soupira la vieille dame. Et de quel roman est-il question ?

Trevor s'assit en face de Clarisse qui le regardait avec des yeux brillants de joie, et il lui sourit :

— Figurez-vous, dit-il à la cantonade, qu'en passant dans Kingston Road, j'ai fait une chose dont je me croyais être incapable : je suis allé voir une cartomancienne. Curiosité ? Goût du merveilleux ? Allez savoir...

Trevor s'amusa des yeux étonnés des deux femmes.

— Et quelles surprenantes révélations a-t-elle faites ? demanda la romancière.

— Voilà, dans le texte, ses propos sibyllins, commença-t-il.

Il se pencha sur la table, et mit son nez dans le bouquet de fleurs :

— « L'odeur de ces fleurs te fera aspirer à succès et joie... »

Puis il se redressa et fixa Clarisse :

— « Qu'est-ce que cette blonde ? sûrement tu me demanderas. C'est une tendre amie, mais l'anneau à droite dit heureux mariage. » Voilà une curieuse manière de s'exprimer, non ?

Clarisse sursauta :

— Mon Dieu, mais moi aussi, j'ai vu cette cartomancienne ! Il n'y en a certainement qu'une seule qui parle ainsi.

Les yeux de Trevor se fixèrent sur Clarisse, qui éclata de rire. Elle poursuivit :

— Il fallait bien que je vous l'avoue un jour ou l'autre.

— Et que vous a-t-elle dit ? demanda Trevor.

Elle le regarda en souriant :

— « Méfiez-vous d'un blond... méfiez-vous des oiseaux noirs. »

— Non, ce n'est pas vrai ! s'écria l'anthropologue. C'est fou. Etes-vous sûre de ce que vous dites ? Vous n'inventez pas ?

— Sûre et certaine. Et elle m'a dit aussi : « Méfiez-vous de la montagne. » Des mots en l'air, probablement.

Lady Chalgrove ferma les yeux, en signe d'intense réflexion.

— La montagne... La montagne... Je ne vois pas. Ce pays est assez plat. Il n'y a pas de montagne à trois cents lieues à la ronde.

Puis, après quelques secondes, elle poussa un cri :

— Mais si, sommes-nous bêtes ! C'est clair comme de l'eau de roche. Evidemment ! Pourquoi n'y ai-je pas pensé tout de suite ? Belmount House !

Trevor regarda sa tante, stupéfait :

— Eh bien, quoi, Belmount House ?

— Belmount House signifie tout simplement Belle Montagne. Voilà. C'est tout. La maison est construite sur un à-pic qui donne sur la rivière.

Clarisse poussa une exclamation de surprise :

— Alors, remarqua Trevor, ce que dit cette vieille cartomancienne est tout à fait juste. Elle a un vrai don. On doit l'écouter.

Il se leva, contourna la table, alla vers Clarisse et la souleva dans ses bras. Puis il se tourna vers sa tante :

— Pour obéir à mon destin, j'enlève Clarisse.

Lady Chalgrove se frotta les yeux comme si elle ne pouvait croire ce qu'elle voyait.

— Ça alors, en voilà des manières !

— Ma chère tante, c'est tellement plus romanesque, et plus dans vos goûts. Que diriez-vous si je vous demandais la main de votre protégée de la façon classique ? Vous bâilleriez d'ennui, n'est-ce pas ? Alors, je l'enlève !

Le rire de la vieille dame retentit, cristallin, sous les hautes voûtes de la salle à manger.

— Eh bien, si je m'attendais à un dénouement pareil ! Vraiment, vous m'avez eue.

Puis, prenant un air sévère, elle regarda son neveu :

— Dis donc, as-tu demandé son avis à cette jeune fille ?

— Non, ma tante. Demande-t-on leur avis aux femmes qu'on enlève ?

— Non, fit Clarisse, et on a raison, parce qu'elles sont consentantes. Elles disent oui à tout.

Clarisse entoura le cou de Trevor de son bras et leurs lèvres s'unirent sous le regard malicieux de la vieille dame.

A ce moment, la porte s'ouvrit et Timothy, raide comme la justice, entra, laissa tomber le bouquet de fleurs qu'il portait dans ses bras, et, après avoir recouvré ses esprits, tendit un billet à Clarisse :

— Ceci vient d'arriver pour vous, mademoiselle.

Clarisse sursauta, confuse, ouvrit le billet et le tendit à Trevor qui le lut à haute voix :

« Mille vœux de bonheur et de réussite, ma chère Clarisse. J'ai été voir une cartomancienne qui m'a chaudement recommandé d'accepter le stage qu'on me proposait de faire en Chine. Il paraît que là, le bonheur m'attend. Ne m'oubliez pas. Ambrose.

Achevé d'imprimer
le 25 novembre 1981
sur les presses de
Métropole Litho Inc.
Anjou, Québec - H1J 1N4

COMMENT FAIRE VOTRE HOROSCOPE VOUS-MÊME

Qui n'a pas éprouvé le désir d'interroger soi-même les planètes pour éclairer sa personnalité et son destin?

À l'intérieur de chaque signe, les possibilités varient. Comment y voir clair? Olenka de Veer ici toutes ses connaissances à la portée de chacun. Ce livre permet au lecteur de calculer de façon simplifiée, mais exacte, son propre thème astrologique, d'en comprendre le mécanisme.

Cet ouvrage, fruit d'années d'études et de travail, met l'astrologie à la portée des débutants, mais sera également précieux à ceux qui ont déjà approché cette science, qui est aussi un art et une sagesse.

Un volume de 450 pages 5 1 / 4 x 8 — $8.95.

ÉCRIRE EN LETTRES MOULÉES

Veuillez me faire parvenir le volume
Comment faire votre Horoscope vous-même
Ci-joint le paiement, soit $8.95.

Nom ....

Adresse ....

Ville .... Code ....

FAIRE CHÈQUE OU MANDAT-POSTE AU NOM DE

LES PRESSES DE LA CITÉ LTÉE
9797 rue Tolhurst, Montréal, P.Q. H3L 2Z7

LES GOUFFRES DU COSMOS

PIERRE KOHLER
les gouffres
du cosmos

PRESSES DE LA CITÉ

Depuis dix ans les astronomes ont entrepris une chasse acharnée pour découvrir des astres étranges et invisibles, qui ont la curieuse propriété de s'effondrer sur eux-mêmes en retenant leur propre lumière et en aspirant tout ce qui se trouve à leur portée.

Ces astres fascinants, les plus extraordinaires qui se puissent imaginer à l'heure actuelle, ce sont les TROUS NOIRS.

Les TROIS NOIRS, ces gouffres du cosmos, sont peut-être des portes de sortie permettant d'accéder à des Univers parallèles, ou des tunnels permettant de se rendre instanténanément en n'importe quel point de l'espace, voire de voyager dans le temps . . .

"LES GOUFFRES DU COSMOS", premier ouvrage rédigé pa un astronome français sur le thème des trous noirs, entraine le lecteur dans un étonnant voyage aux confins du possible.

Un volume de 245 pages 5 1 / 2 x 7 1 / 2 — $9.95.

COMMENT AVOIR PLUS
DE MÉMOIRE

Quel outil indispensable et quel bien précieux que la mémoire!

Le docteur Jacqueline RENAUD, éminent spécialiste international de la mnémotechnie, vous livre ici toutes les clés de la mémoire. Dans un style à la fois clair, simple et précis, elle explique ce qu'est la mémoire, comment s'en servir et comment la développer.

Vous apprendrez ainsi l'évolution de la mémoire de la naissance à la mort, les multiples façons de l'utiliser (mémoire à court terme, à long terme), les leçons à tirer des maladies de mémoire (amnésies, oublis), sa place dans le cerveau, les diverses méthodes pour la conserver et la développer — toute une série de tests vous aident à cet effet à apprécier vous-même votre mémoire ou celle de vos proches.

COMMENT AVOIR PLUS DE MÉMOIRE du docteur Jacqueline RENAUD est donc à la fois un outil de culture générale et un instrument pratique d'éducation de soi-même. Il permet en outre aux parents d'aider leurs enfants — ou eux-mêmes — à "savoir comment apprendre". C'est un livre pratique, facile à comprendre, utile, à posséder absolument.

Un volume de 200 pages 5 x 8 — $6.95.

COMMENT NE PLUS
ÊTRE TIMIDE

Le mot "timidité" recouvre en fait toute une série de malaises allant du manque d'assurance à la difficulté de communiquer avec les autres. Cause d'échecs sentimentaux et professionnels, elle peut mener au désespoir ou aux perversions.

Le docteur Jacqueline RENAUD a utilisé les applications modernes de la psychologie du comportement, et sa longue expérience de psychothérapeute, pour proposer un véritable "mode d'emploi de soi-même" qui déborde largement la question de la timidité. Ce livre, en effet, est un itinéraire qui, en plusieurs "séances", et avec de nombreux tests, vous entraine vers la connaissance de votre personnalité, de votre forme de timidité, puis dans la pratique d'exercices qui peuvent transformer votre vie.

Instrument pour s'apprendre à mieux vivre, il offre aux parents de nombreux moyens d'aider leurs enfants à affronter l'avenir avec confiance.

Un volume de 290 pages 5 x 8 — $7.95.

JAMES DEAN

JAMES DEAN ou LA VIE A TOMBEAU OUVERT

Ronald MARTINETTI

éditions france empire

JAMES DEAN n'était guère plus qu'un enfant lorsqu'il mourut, à vingt-quatre ans sur une autoroute près de Paso Robles, le 30 septembre 1955, en se rendant à une course d'automobiles. Il n'avait alors tourné que trois films. À l'est d'Eden, la Fureur de Vivre, Géant, dont, seul, le premier était sorti sur les écrans.

Ronald Martinetti est parvenu à regrouper dans son ouvrage tous les détails connus sur la vie de James Dean, depuis son poids à la naissance jusqu'à l'emploi du temps détaillé de sa dernière semaine. Aucun moment de sa vie n'est laissé de côté. Était-il capable d'aimer quelqu'un d'autre que lui-même? La vie sentimentale de Dean apparait en effet comme l'un des points les plus mystérieux de sa légende. Ses amours successives avec toutes les starlettes d'Hollywood, dont Ursula Andress à ses débuts, ne sont qu'un écran sur un vide intérieur angoissant; ou faut-il chercher dans une homo-sexualité mal assumée la clef de ses errances?

Autant de questions auxquelles le livre de Ronald Martinetti répond avec une autorité décisive. Le mythe de James Dean redevient la simple histoire d'un acteur hors-pair.

Un volume de 185 pages format 6 x 9 1/2 — $10.95.